Doping

JEAN NELISSEN

DOPING

HET DUIVELSE SPEL

MET LEVEN EN GEZONDHEID

Uitgeverij L.J. Veen – Amsterdam/Antwerpen

Alle rechten voorbehouden
© 2000 Jean Nelissen
Omslagontwerp: Gerard Willemsen
Foto's omslag: C.J. Hunter, gewichtheffer Grimseth (ANP); Richard Virenque en Willy Voet, de EPO-spuit, Marco Pantani die uit de Giro wordt gezet,
stakende wielrenners in de doping-Tour van 1998 (Cor Vos).

D/2000/0108/759
ISBN 90 204 2061 5
NUGI 466

Inhoud

1. Verkorte levens 7
2. Het wantrouwen 12
3. De dodenploeg 17
4. EPO 23
5. De doping-Tour en het vervolg 31
6. Nandrolon 38
7. Alle kampioenen onder vuur 41
8. De slachtoffers 44
9. De geschiedenis van doping 51
10. De rol van de media 70
11. Recente dopingkwesties 80
12. Het Festina-proces 87
13. IOC-lijst verboden producten anno 2000 90
14. Top-tien van dopingmiddelen 92
15. Tijdbom 95
16. Ten slotte 99
    Register 101

1. Verkorte levens

De situatie in de topsport is aanleiding voor een boek over doping.

Helaas blijkt dat sportmensen in de jacht naar roem en het grote geld steeds verder afdrijven van de natuur. Zelfs de meest optimistische geesten zijn verontrust over het toenemende gebruik van chemische middelen om zuurstof in het bloed beter te transporteren en kunstmatig het spiervolume te vergroten, om de ongemakken van de inspanning terug te dringen en het effectieve resultaat op te krikken.

Er hangt een geur van list, bedrog en wantrouwen boven de topsport na de doping-Tour van 1998 en na de recente positieve reacties van topatleten als:
- Linford Christie, in 1992 winnaar van de gouden medaille op de 100 meter tijdens de Olympische Spelen van Barcelona;
- Dieter Baumann, befaamd middenafstandloper in Duitsland, bekend als 'Mister Clean', maar twee keer positief bevonden op nandrolon;
- Merlene Ottey, wereldster op de sprint;
- C.J. Hunter, Amerikaanse kogelstoter, echtgenoot van 's werelds beste sprintster Marion Jones, vier keer positief op nandrolon met waarden die de toegestane limiet vele malen overschreden;
- Andrea Raducan, de zestienjarige Olympisch turnkampioene meerkamp uit Roemenië;
- Javier Sotomayor, de gouden hoogspringer uit Cuba;
- Julio Rey, de Spaanse marathonloper, derde in de marathon van Rotterdam;
- Christophe Dugarry, in 1998 met Frankrijk wereldkampioen voetballen;
- en vooral na de bekentenissen van de topwielrenners Alex Zül-

le, Laurent Dufaux, Luc Leblanc, Laurent Brochard en Richard Virenque van de ploeg Festina.

Wilma Rudolph, in 1960 de keizerin van de Olympische Spelen in Rome, en Florence Griffith, de snelste vrouw ter wereld, werden respectievelijk slechts vierenvijftig en negenendertig jaar oud. Het is echter nooit wetenschappelijk bewezen dat er een verband bestond tussen de vroege dood van de voormalige Amerikaanse koninginnen van de sprint en dopinggebruik.

Korte levens, verkorte levens, te korte levens. Jacques Anquetil, de legendarische tijdrijder op de fiets, werd slechts drieënvijftig jaar; Leo Duyndam, de voormalige zesdaagsencrack, stierf op tweeënveertigjarige leeftijd en Bert Oosterbosch, wereldkampioen achtervolging, werd niet ouder dan tweeëndertig jaar. Of de voormalige FC Twente-spelers René Notten, overleden op vijfenveertigjarige leeftijd, en Epi Drost 'Mister FC Twente', die slechts negenenveertig jaar werd.

Korte levens. Verkorte levens. Waardoor? Hadden zij aangeboren en verborgen gebleven afwijkingen, zoals werden vastgesteld bij de wielrenner Johannes Draaijer (cardiomyopathie, vervetting van de hartspierwand), die slechts zesentwintig jaar werd? Is het bedrijven van topsport, het als het ware uitboren van menselijke cilinders door ver doorgevoerde, nietsontziende trainingen, zo ongezond? Of wordt topsport pas echt gevaarlijk voor leven en welzijn als de natuur wordt gemanipuleerd?

In Italië, België en Frankrijk hebben verschillende procureurs, fungerend als het justitiële geweten, vooral artsen in de beklaagdenbank gezet: academisch geschoolden, ooit opgeleid om de gezondheid van mensen te bewaken, maar er nu van verdacht hun cliënten met verboden en op den duur voor de gezondheid gevaarlijke middelen naar hogere atletische prestaties te hebben gestuwd.

De sportartsen, allemaal werkzaam in de wielersport, die om uiteenlopende redenen werden aangeklaagd, zijn:
- Francesco Conconi, leider van het sportmedisch instituut van de universiteit in het Italiaanse Ferrara, ex-voorzitter van de medische commissie van de Internationale Wielerbond (UCI), lid van de medische commissie van het IOC en persoonlijk adviseur van Francesco Moser tijdens diens opzienbarende verbeteringen van het werelduurrecord;

- Michele Ferrari, voormalig assistent van Conconi, ex-ploegarts van Gewiss en onder andere persoonlijk adviseur van Tony Rominger;
- Eric Rijckaert, ex-ploegarts van Festina;
- Daniele Tarsi, ex-ploegarts van Casino, die drieënzeventig overwinningen in één seizoen behaalde met doorgaans oudere renners;
- Nicolas Terrados, ploegarts van ONCE;
- Andrei Michailov, ex-ploegarts van TVM.

Doping is heel oud. Romeinse gladiatoren die in het Colosseum in Rome voor hun leven moesten vechten, verschenen gedrogeerd in de arena. De Griekse wijsgeer Homerus maakte in zijn geschriften al gewag van een zogenoemde lotusplant, een doornige struik afkomstig uit Noord-Afrika, die pruimachtige vruchten draagt en waarvan het sap een stimulerende werking heeft.

De Inca's ontdekten de bijzondere werking van de *Erythroxylon Coca*, een struik waarvan de bladeren een sap opleveren dat gebruikt werd voor plaatselijke verdoving bij operaties én als genotmiddel.

De Duitser Albert Niemann slaagde er rond 1860 in om uit coca

De schrijver van dit boek wordt in 1967 door de arts dokter Thei Jessen met pervitine ingespoten teneinde de werking van doping aan den lijve te ondervinden.

cocaïne te maken, een middel dat snel een elite-drug werd, vooral gebruikt in intellectuele kringen. De bouwer van de wereldberoemde Eiffeltoren in Parijs, ingenieur Alexandre-Gustave Eiffel, verklaarde dat zijn toren minstens twintig meter hoger zou zijn geweest als hij eerder met het 'wondermiddel cocaïne in aanraking was gekomen'.

Tijdens de slag om Engeland in de Tweede Wereldoorlog gebruikten Engelse RAF-piloten benzedrine, een amfetamineproduct, om hun weerstand te verhogen en hun angstgevoelens te onderdrukken.

Drugs hebben in de geschiedenis altijd een zekere rol gespeeld, en dus ook in de sport. Doping in de sport heeft altijd bestaan en lijkt een onuitroeibaar kwaad.

In de moderne sportbeoefening doken eerst de centraal stimulerende middelen op, zoals de amfetaminen (wekaminen), die door hun werking op het autonome zenuwstelsel een sterke lichamelijke en geestelijke invloed uitoefenen en vermoeidheid en slaapbehoefte doen verminderen. Ze kunnen leiden tot verslaving en hartklachten.

Vanaf het moment dat de amfetaminen in de laboratoria opgespoord konden worden, deden de anabole steroïden (testosteron, stanozolol, nandrolon etc.) en de corticosteroïden (ontstekingsremmers die ook pijn verlichten; ook cortisonen genaamd) hun intrede. Het gebruik van anabole steroïden kan leiden tot nieraandoeningen, kanker, impotentie en borstvorming bij mannen, stemverlaging, baardgroei en onregelmatige menstruatie bij vrouwen. Cortisonen kunnen verlaging van de afweer (immuniteit) en hoge bloeddruk tot gevolg hebben.

Aan het eind van de jaren tachtig deed het inmiddels beruchte eiwithormoon EPO (erytropoiëtine) – kennelijk hét transportmiddel naar succes – zijn intrede in de topsport, gevolgd door groeihormonen. EPO, vooral in gebruik bij duursporten als wielrennen en langeafstandlopen, kan hoge bloeddruk en bloedverdikking veroorzaken, met hart- en herseninfarcten als gevolg. Groeihormonen (hGH), die de aanmaak van eiwitten stimuleren en de spiermassa doen toenemen, kunnen ook de schedel doen uitzetten en handen en voeten groter doen worden; andere gevolgen van het gebruik van groeihormonen kunnen diabetes, artrose, hartziekten en kanker zijn.

EPO, die in het lichaam wordt aangemaakt, was lange tijd niet opspoorbaar. Maar dankzij de inspanningen van het Franse staats-laboratorium in Chatenay-Malabry zijn in de loop van 2000 de mogelijkheden tot opsporing van chemisch aangemaakt EPO een stuk dichterbij gebracht. De juridische commissie van het Internationaal Olympisch Comité (IOC) twijfelt er echter aan of de methode van Chatenay-Malabry wetenschappelijk en juridisch zo waterdicht is dat deze in alle omstandigheden overeind gehouden kan worden.

Inmiddels wordt gevreesd dat er zodra de aanwezigheid van extern toegediend EPO in het lichaam kan worden aangetoond nieuwe middelen op de markt zullen verschijnen die bepaalde hersenfuncties stimuleren. Want in de topsport gaan anno 2000 grote kapitalen rond: televisierechten, merchandising, sponsorgelden van multinationals en de belangen van de industrie achter de sport hebben ertoe geleid dat in de topsport het respect voor menselijke waarden als sportiviteit, eergevoel en eerlijkheid verloren zijn gegaan. Het zijn woorden geworden voor naïevelingen, onnozele mensen uit een vervlogen tijdperk. Wat nu overheerst is het wantrouwen. Want het duivelse spel met leven en gezondheid gaat gewoon door.

De 'gedrogeerde' proefrit op het Adsteeg-circuit in Beek zit erop. Dokter Jessen controleert de bloeddruk. Rechts op de grond de tweede proefpersoon, de journalist Trino Flothuis van de Haagse Post.

2. Het wantrouwen

Op 20 april 1994 wordt tussen Spa en Huy de 58e Waalse Pijl ver-reden, een traditionele wielerklassieker in de Belgische Ardennen. Bij de tweede beklimming van de 'Muur' in Huy, een helling met een maximaal stijgingspercentage van 22 procent, demarreren drie renners uit het peloton.

'Daar gaan de Ferrari's!' roept iemand. Het drietal, de Italianen Moreno Argentin en Giorgio Furlan en de Rus Evgueni Berzin, hoort tot dezelfde ploeg, het Italiaanse Gewiss, waarvan Michele Ferrari ploegarts is.

Drie dagen eerder had Evgueni Berzin de 80e Luik-Bastenaken-Luik gewonnen met Giorgio Furlan als derde. De blonde Rus Berzin zou twee maanden later trouwens ook in de Ronde van Italië zege-vieren vóór kampioenen als Marco Pantani en Miguel Indurain.

En nu, op deze 20e april, rijden de drie 'Ferrari's' kop over kop en 72 kilometer lang, zonder ook maar een spoor van verzwakking te kennen, oppermachtig over de heuvels naar de finish in Huy.

Het overwicht van Gewiss in de Ardeense klassiekers is zó op-vallend dat het Parijse sportblad l'Equipe besluit de medicus achter de opzienbarende successen te interviewen. Michele Ferrari, voor-heen assistent van Francesco Conconi, is professor in de bioche-mica en verbonden aan de universiteit van Ferrara.

Ferrari verklaart in het interview: 'Als ik renner was zou ik ook producten nemen die niet opgespoord kunnen worden. Want mijn limiet is de dopingcontrole. Als ik renner was en ik zou we-ten dat een bepaald product mijn prestatie zou verhogen, dan zou ik het gebruiken. Als een renner EPO neemt, maak ik er geen schandaal van. Want het is gevaarlijker tien liter jus d'orange te drinken.'

Het artikel in *l'Equipe*, dat vijf dagen na de Waalse Pijl verschijnt, veroorzaakt veel commotie. Op 6 mei 1994 wordt Michele Ferrari naar aanleiding van zijn uitspraken als ploegarts ontslagen door Luigi Gastaldi, de grote baas van Gewiss. Het EPO-schandaal ligt op straat.

Het is dan slechts in zeer beperkte kring bekend dat de Italiaanse onderzoeker Sandro Donati, hoofd van de afdeling onderzoek van het Italiaans Olympische Comité (CONI), in Rome een rapport heeft neergelegd bij de president van het CONI. Dat gebeurde op 9 februari 1994, ruim twee maanden vóór de Waalse Pijl en het daaropvolgende geruchtmakende interview met dokter Ferrari. In het rapport concludeert Donati dat er in het peloton op vrij grote schaal EPO wordt gebruikt. Donati voert achttien getuigen op – renners, verzorgers, ploegleiders, in elk geval insiders in de wielersport – die schokkende getuigenissen afleggen.

Het Donati-rapport verdwijnt in Rome in een bureaula omdat het volgens het CONI 'te vaag' zou zijn.

Anderhalf jaar lang blijft het betrekkelijk rustig aan het dopingfront. Slechts af en toe ontstaat er een kwestie, zoals de aanwezigheid van dynabolin (nandrolon) in de urine van een aantal Franse renners (onder wie Jacky Durand) in de Picardische Pijl, en van Thierry Laurent in de Vijfdaagse van Duinkerken. De Parijse arts Patrick Nedelec, twaalf jaar lang betrokken bij de dopingcontroles in de Tour de France, krijgt de schuld. De arts geeft toe de renners drie keer met nandrolon te hebben ingespoten 'om blessureleed te verhelpen'.

Dan komt op 31 oktober 1996 het Milanese sportblad *La Gazetta dello Sport* met zijn publicatie 'Ecco il dossier-scandallo'. De redactie van *La Gazetta* heeft twee jaar nadat Sandro Donati zijn rapport schreef inzage gekregen in het dossier. Vanaf dat moment zijn de publicaties over EPO niet meer te stuiten.

Op 14 januari 1997 begint *l'Equipe* aan een serie artikelen over het gebruik van EPO en groeihormonen onder de titel 'Le terrible dossier'.

Uit alle publicaties blijken argwaan, roddels en achterklap. En steeds wordt er met de vinger naar Italië gewezen. Waarom?

Laten we eens kijken naar de UCI-ranking, het wereldklassement – optelsom van kwalificaties in de belangrijkste wegwedstrijden, de grote ronden als de Tour de France, de Ronde van Italië en de Ronde van Spanje en de klassiekers voor de wereldbeker als Milaan-San Remo, de Ronde van Vlaanderen, Parijs-Roubaix, Luik-Bastenaken-Luik, de Amstel Gold Race, de Clasica San Sebastian, HEW Hamburg, de Grote Prijs van Zwitserland, Parijs-Tours en de Ronde van Lombardije.

Eind 1989 was de Fransman Laurent Fignon, tegenwoordig organisator van de etappewedstrijd Parijs-Nice, de nummer 1 in het wereldklassement. De beste Italiaan was toen Maurizio Fondriest op de tiende plaats. Slechts twee Italianen bevonden zich bij de beste negenentwintig renners in de ranking.

Eind 2000 leidt de Italiaan Francesco Casagrande het wereldklassement en staan liefst zeven Italianen bij de eerste twintig. Een tamelijk spectaculaire opmars. Wat is er in de elf jaar tussen 1989 en 2000 in Italië met het wielrennen gebeurd?

In 1996 werden van de elf klassiekers om de wereldbeker er zeven door Italianen gewonnen. In 1997, na het invoeren van de bloedcontroles (hematocrietwaarde), wonnen de Italianen vier klassiekers.

Het is bekend dat de organisatie rond Italiaanse ploegen in het algemeen prima is. Italië brengt honderdzeventig volwaardige professionals op de been, in acht ploegen in de eerste divisie en in zeven ploegen in de tweede divisie, plus Italiaanse renners in diverse buitenlandse teams. Deze renners kunnen in eigen land op ideale parcoursen en meestal onder goede weersomstandigheden trainen. Italië investeert van alle wielerlanden het meeste kapitaal in de wielersport. Mapei heeft zelfs een eigen sportcentrum gebouwd. Is hiermee het overwicht van de Italianen (215 zeges in het seizoen 2000) verklaard?

Nee, want er heerst wantrouwen bij renners en volgers over de compagnie gespecialiseerde sportartsen die de renners in Italië begeleidt: vanaf de junioren tot de top bij de beroepsrenners.

En in de loop van de jaren 1999 en 2000 slaat dit wantrouwen over naar een aantal procureurs in Italië (in de districten Bologna, Torino, Brescia, Milano), die invallen doen bij diverse sportartsen en hun administratie in beslag nemen. Op zoek naar dopingpraktijken.

De procureur van Turijn bijt zich vast in het dossier van Marco Pantani, die in 1995 tijdens de semi-klassieker Milaan-Turijn een zwaar ongeluk kreeg, waarbij hij een been op twee plaatsen brak. In het ziekenhuis van Turijn zou bij Pantani een zeer hoge hematocrietwaarde van 59 procent zijn vastgesteld. Pantani wordt dan ook meerdere keren door het parket in Turijn voor ondervraging ontboden. De kwestie sleept zich voort.

Begin mei 1996 komt de antidrugsbrigade in Italië erachter dat een grote hoeveelheid EPO vanuit een apotheek in Ferrara, de stad waar professor Conconi werkt, naar Griekenland is verzonden. Daar start een week later in Athene de Ronde van Italië. De antidrugsbrigade brengt het Italiaans Olympisch Comité op de hoogte. Volgens onderzoeker Donati is toen een lid van het CONI naar Athene gevlogen om renners en ploegleiders te waarschuwen.

Gesjoemel met EPO blijft mogelijk. In het *Zakwoordenboek der Geneeskunde* van de arts G. Kloosterhuis staat dat de normale hematocrietwaarde bij een mens schommelt tussen 35 en 50 procent. Dat is dus het volume van rode bloedlichaampjes in verhouding tot het totale bloedvolume. In de marge tot 50 kan dus gefraudeerd worden.

De arts Lon Schattenberg, hoofd van de medische commissie van de UCI, zegt: 'Onze gezondheidscontroles zijn er om de ergste excessen tegen te gaan.'

De UCI heeft in haar gevecht tegen doping en tegen het heersende wantrouwen verplichte gezondheidscontroles ingesteld. Die bestaan uit frequente bloedcontroles, bloed- en urineonderzoek, minimaal vier keer en verspreid over het seizoen; het maken van een cardiogram, minimaal één keer per jaar; het maken van een echo-cardiogram, minimaal één keer per twee jaar.

De resultaten van de controles worden vastgelegd om te zien of zich aanzienlijke afwijkingen voordoen, waardoor nader onderzoek noodzakelijk wordt.

Maar het wantrouwen blijft. Waarom laten sportlieden hun hoofd kaalscheren of verven ze hun haar in de meest extreme kleuren? 'Om haaranalyses te bemoeilijken,' menen achterdochtige critici. Bij haaranalyses kunnen amfetaminen tot lang na het gebruik worden opgespoord, maar geen lichaamseigen stoffen zoals EPO en groeihormonen.

Het wantrouwen zou weer naar een hoogtepunt klimmen tijdens het Festina-proces in oktober 2000.

In 1999 keken velen verbaasd op hoe sterk de Amerikaan Lance Armstrong, nadat hij zijn kanker overwonnen had, aan de top was teruggekeerd. In de Franse kranten verschenen regelrechte verdachtmakingen. Het wantrouwen was sterker dan de bewondering voor de Tour-winnaar, die drie jaar eerder volgens artsen minder dan 50 procent kans had om te overleven en die dus was opgestaan uit de dood. Op 21 juli legde Armstrong op een lastig parcours de tijdrit in de Tour de France tussen Fribourg en Mulhouse af met een gemiddelde snelheid van 53 kilometer en 986 meter per uur. Een Franse wielertrainer verklaarde aan rechtbankvoorzitter Daniel Delegove: 'Dit kan niet, het is onwaarschijnlijk dat iemand zonder doping zo hard kan fietsen.'

In 1999 suggereerde *Le Monde* al dat Armstrong doping zou gebruiken, hoewel de krant daar geen bewijs voor kon aandragen – behalve een zalfje met corticoïden dat Armstrong gebruikt zou hebben om een pijnlijke plek op zijn lichaam te behandelen.

Het Franse televisiestation France 3 meldde begin november 2000 dat het parket in Parijs een gerechtelijk vooronderzoek begonnen was tegen eventuele dopingpraktijken tijdens de Tour de France in de US Postal-ploeg van Lance Armstrong.

3. De dodenploeg

Woensdagavond 2 september 1971 wandel ik door de Zwitsers-Italiaanse grensplaats Mendrisio. Het is een mooie avond en de terrasjes zitten vol, vooral met buitenlanders, want in Mendrisio worden de wereldkampioenschappen wielrennen gehouden.

Bij toeval kom ik de voorzitter van de Belgische wielerbond Albert van Mossevelde tegen. Een joviale vent, die drie maanden eerder voorzitter van de Belgische wielerbond (BWB) is geworden door een opmerkelijk voorval. Zijn voorganger Maurice Moyson, eigenaar van een restaurant, is door een kok betrapt op het ontvreemden van een frisketel uit de keuken van de BWB in Brussel om deze in zijn eigen restaurant te gebruiken. Vooral voor de Vlaamse afgevaardigden in de BWB was dit een reden om Moyson weg te stemmen, waarop Van Mossevelde aantrad.

Van Mossevelde, aannemer in bouwwerken, is die avond in een opperbeste stemming. Een paar uur eerder hebben vier Belgische amateurs de wereldtitel in de 100 kilometer-ploegentijdrit gewonnen, zijn eerste grote succes als voorzitter.

'Awel,' zegt hij, 'wij hebben toch uw Ollanders schoon geklopt! Wat zegt ge daarvan?'

Ik antwoord dat ik stomverbaasd ben. De Nederlandse ploeg – met zeer gereputeerde specialisten als Fedor den Hertog (destijds veruit de beste amateurwielrenner ter wereld), Aad van den Hoek, Frits Schür en Adrie Duyker – was namelijk zwaar favoriet, maar moest ten slotte met een achterstand van 1´38´´ het onderspit delven tegen de verrassend sterke Belgen.

De robuuste Van Mossevelde slaat mij enigszins onbeheerst op de schouders. 'Awel, gij zijt uitgenodigd op het feest, over een uur in ons hotel.'

En zo word ik, als speciale vertegenwoordiger van 'de verslagenen', getuige van een spectaculaire bijeenkomst met veel champagne, kaviaar, inktvisringen, Noorse zalm en de onafscheidelijke Belgische speciale bieren, die Van Mossevelde – voorbereid als hij was op alle eventualiteiten – heeft laten aanvoeren.

Ik zie ze daar nog zitten, de nieuwe wereldkampioenen in hun smetteloze regenboogtruien: Staf Hermans, Staf van Cauter, Louis Verreydt en Ludo Vanderlinden, met naast hen de reserves, Freddy Maertens en Marc Demeyer, die de complete voorbereiding hebben meegemaakt. Ze zijn ietwat onwennig aanwezig op het feest – bescheiden, verlegen zelfs onder het luidruchtige huldebetoon. Ik druk ze de hand en vraag of ze nu wel snel beroepsrenners willen worden. Dat willen ze natuurlijk allemaal. Er lonkt een glorieuze toekomst.

En zie: Ludo Vanderlinden tekent een profcontract bij de prestigieuze equipe Molteni, waar Eddy Merckx kopman is. Freddy Maertens en Marc Demeyer vinden onderdak bij Flandria, Louis Verreydt tekent voor Goldor-IJsboerke, Staf Hermans bij Watney, Staf van Cauter bij Rokado en Pierre Bellemans, een van de grootste Belgische talenten, tekent bij het Italiaanse scic.

Op dit glorieuze moment in Mendrisio, op 2 september 1971, hebben de nieuwe wereldkampioenen statistisch volgens de gangbare sterftetabellen in een moderne westerse samenleving nog ongeveer drieënvijftig jaar te leven. Volgens de sterftetabel gbm 71-75 van maatschappijen die levensverzekeringen afsluiten, worden mannen in België gemiddeld drieënzeventig jaar.

Maar wat gebeurt? Binnen negen jaar is de helft van het team dood. En twee reserves van dezelfde lichting sterven als ze drieëntwintig en eenendertig jaar oud zijn. Ze gaan alle vier plotseling dood door hartstilstand.

Het kan bijna niet anders of er moet iets gebeurd zijn dat de levenslijn van deze wilskrachtige en kerngezonde jongens, die rond hun twintigste jaar over uitzonderlijke atletische vermogens beschikten, heeft omgebogen.

Het is 11 september 1972, een jaar na Mendrisio, als de wielerwereld wordt opgeschrikt door de plotselinge dood van Pierre Bellemans uit Gooik, dan drieëntwintig jaar oud. Hij is bezig aan zijn eerste seizoen als beroepsrenner in Italië en won in het voorgaande seizoen nog twintig wedstrijden. Op een ochtend wordt hij levenloos aangetroffen in zijn bed. Hij was niet ziek, er waren geen tekenen die erop wezen dat het mis zou gaan.

Vijf jaar later valt de tweede dode, Louis Verreydt, wereldkampioen in Mendrisio. Hij sterft op zesentwintigjarige leeftijd.

Weer vijf jaar later valt de derde dode. Op de ochtend van woensdag 20 januari 1982 wordt Marc Demeyer, in 1976 winnaar van de klassieker Parijs-Roubaix vóór de grote kasseienspecialisten Francesco Moser en Roger de Vlaeminck, levenloos aangetroffen. Demeyer was eenendertig jaar en nog zeer ambitieus. Een vent zo sterk als een os. Hij werd de 'Beul van Outrijve' genoemd.

Op de avond van 13 december 1983, bijna twee jaar na de dood van Demeyer, vindt er in de sporthal van Nijlen een tennistoernooi voor vedetten uit de sport en de showbusiness plaats. Ludo Vanderlinden, wereldkampioen in Mendrisio, begint aan zijn tennispartij tegen de populaire zanger Willy Sommers. Eén minuut later zakt hij in elkaar. Hartstilstand. Dood. Het vierde slachtoffer uit de lichting van 1971. Hij is pas tweeëndertig jaar.

Wat is er destijds gebeurd rond deze ongeluksploeg van Mendrisio waardoor deze jongens zo vroeg sterven? In de herfst van 1988 verschijnt het boek *Niet van horen zeggen* van Freddy Maertens, een van de overlevenden. Op de pagina's 35 en 36 lezen we:

> Om in aanmerking te komen voor de ploeg voor het wereldkampioenschap in Mendrisio moest ik van de wielerbond deelnemen aan een stage in De Haan, dat aan de kust ligt. Het viertal Verreydt, Van Cauter, Vanderlinden en Hermans dat wereldkampioen werd, verbleef er ook. Twee van de vier zijn inmiddels overleden. Dat kan niemand zomaar een toeval noemen. Het is een feit dat het viertal op een speciale wijze voor de titelstrijd geprepareerd werd. Ik heb een en ander met eigen ogen gezien. De vroegtijdige dood van Verreydt en Vanderlinden vindt daarin zijn wortels, daar ben ik van overtuigd.
> (...)
> In het hotel Lylita had eigenaar Henri Bouwens een grote aap in een kooi zitten. Op een dag wierpen wij hem een peppilletje toe. Het dier rook eraan en gooide het weg. Toen verstopten we een pilletje in een stuk chocolade, maar de aap was niet van gisteren en haalde het pilletje uit de chocolade. Onze derde poging was raak. We

verpulverden het pilletje tot poeder en mengden dit in de crème van de chocolade. Nietsvermoedend werkte de aap nu alles naar binnen. En onder onze aanmoedigende kreten werd het dier in zijn kooi superactief.

Ik heb Maertens' verhaal gecontroleerd bij Henri Bouwens, destijds eigenaar van hotel Lylita. Het hotel is afgebroken en op de plaats zijn zoals in veel Belgische kuststeden appartementen gebouwd. Bouwens herinnert zich: 'Op een dag, toen de renners in mijn hotel logeerden, werd de aap, een lief dier dat door een vriend uit Zaïre was meegenomen, zeer agressief. Er was geen houden aan. Later vernam ik dat de renners mijn aap doping hadden gevoerd. Dat hebben ze ook met de vissen in mijn vijver en met de vogels in mijn volière gedaan.'

Een andere getuige uit die dagen is de arts Gerard Daniels uit Oostende. Dokter Daniels fungeerde in 1971 als bondsarts van de Belgische ploeg voor de wereldkampioenschappen. Ik spreek dokter Daniels op de ochtend van 28 november 1988. Hij zit verslagen achter zijn bureau, want een van zijn patiënten, de profwielrenner Geert Vandewalle, die in 1985 kampioen van België werd bij de amateurs, is twee dagen eerder tijdens een partijtje voetbal op drieëntwintigjarige leeftijd overleden. De doodsoorzaak, wederom: hartstilstand.

Dokter Daniels: 'Geert kwam hier vanaf zijn vijftiende. We waren vrienden geworden. Ik heb hem tientallen keren gevraagd of hij doping gebruikte. Maar hij ontkende steeds. Van anderen vernam ik dat Geert het wel deed. Ik weet het niet. Het is triest, intens triest.'

Terug naar 1971, het jaar dat dokter Daniels medisch begeleider was van de 'dodenploeg' in Mendrisio.

Dokter Daniels: 'Ik heb die jongens nooit medicamenten gegeven. Ze waren kerngezond. Ik heb op een dag wel gezien dat de vogels in de volière van hotel Lylita verwilderd rondvlogen. Eerst dacht ik dat er een kat in de volière was doorgedrongen. Wij hebben de kwestie onderzocht. De renners waren een avond het hotel ontvlucht en ze hebben bij terugkeer pillen in het water van de vogels gegooid. Ik neem aan dat de renners die pillen van thuis hadden meegebracht. Want een jaar later, voor de Olympische Spelen in München, waar voor het eerst een dopingcontrole zou worden

gehouden, heb ik op last van onze voorzitter Albert van Mossevelde de kamers van de renners doorzocht op verboden producten.
Het was verbijsterend wat daar werd aangetroffen. Er waren renners die een koffer vol met verboden producten hadden. Wij hebben toen al deze verboden producten in beslag genomen.'

De overlevenden van de 'dodenploeg' mijden om begrijpelijke redenen jarenlang de publiciteit. Na een aantal vergeefse pogingen
spreek ik in december 1988 met Staf van Cauter, die inmiddels als
marketingfunctionaris bij Texas Instruments in Chicago werkt.
    'Het heeft geen zin te ontkennen dat ik mij grote zorgen heb ge-
maakt over wat onze WK-ploeg van Mendrisio is overkomen. Drie
doden op vijf is natuurlijk niet normaal. Ik ben in elk geval blij dat
ik leef en dat ik gezond ben.'
    Wat is er in 1971 volgens Van Cauter gebeurd?
    'Ik herinner me dat we vreselijk hard getraind hebben voor de
wereldtitel. Urenlang hebben we ons afgebeuld, vaak tegen de
sterke wind aan de kust in. We gingen zó ver dat we soms de trap-
pen van ons hotel in De Haan niet meer op konden lopen.'
    Maar van hard trainen gaat toch niemand dood?
    Van Cauter: 'Er spelen ook andere zaken een rol. Er waren be-
paalde praktijken met doping. Iedereen had zijn eigen dokter.
Mijn dokter was Walter Jaspers, later clubarts van de voetbalclub
KV Mechelen. Ik heb dingen gezien die wezen op gebruik van anabole steroïden: we gingen bijvoorbeeld met een groep trainen en
sommige jongens waren niet vooruit te branden. Op zondag tijdens de wedstrijd vlogen ze ineens. Staf Hermans fietste op trai-
ning en in de wedstrijd even hard. Hij is met mij de enige renner
van de WK-ploeg die nog leeft.'
    Welke producten werden er in die dagen gebruikt?
    Van Cauter: 'Testosteron en ACTH.'
    Het gerucht gaat dat de jongens van de ploeg juist ACTH hebben
genomen?
    Van Cauter. 'ACTH was toen al heel bekend. Mijn dokter Jaspers
zei tegen mij: "Blijf van dat spul af, want we weten niet wat de gevolgen op termijn zijn." Ik had als student veel gelezen over ACTH,
ik vertrouwde het product niet. In die tijd werd in de sportwereld
echter vrij zorgeloos met hormonale producten omgesprongen.
Als ik niet gestudeerd had was ik misschien ook niet zo voorzich-
tig geweest. Dan had ik ook stommiteiten begaan.'

Zijn er schuldigen aan te wijzen?

Van Cauter: 'De daders zitten in de farmaceutische industrie. Er worden steeds nieuwe producten ontwikkeld, waarvan de uitwerking op langere termijn niet bekend is. Die producten worden kritiekloos geslikt. Verder zijn er dokters die onverantwoord handelen en slechts op publiciteit uit zijn.'

Je bent slechts korte tijd professional gebleven.

'Zonder bepaalde middelen te nemen is het moeilijk aan de top te komen. Toen ik dat merkte heb ik voor een andere baan gekozen.'

Welke raad geef je als overlevende aan jonge sportmensen?

'Eén spuit ACTH per twee maanden op medisch advies is mogelijk, in bepaalde gevallen zelfs gezond. Een injectie ACTH per twee dagen kan dodelijk zijn.'

4. EPO

Op vrijdag 8 november 1996 komt in Milaan, onder voorzitter-schap van de tweevoudige Italiaanse wereldkampioen op de weg Gianni Bugno, de internationale vereniging van beroepswielren-ners (AICPRO) bijeen.

'Het waas van verdachtmakingen heeft zulke vormen aangeno-men dat wij ten slotte nu allemaal verdacht zijn,' zegt Bugno, 'en daarom eisen wij renners dat de Internationale Wielerbond (UCI) bloedcontroles gaat houden.'

De UCI in Lausanne neemt de eis van de renners serieus. Op vrijdag 24 januari 1997 komt ze met ploegleiders en enkele artsen in het Holiday Inn in Genève bijeen en besluit de bloedtests in te voeren. De hematocrietwaarde (bloeddikte, viscositeit, kleverig-heid) mag niet hoger zijn dan 50 procent. Rode bloedlichaampjes mogen niet meer dan 50 procent van het totale bloedvolume uit-maken.

Wie een hogere hematocrietwaarde scoort bij deze 'gezond-heidscontroles' wordt veertien dagen uitgesloten. Na deze twee weken mag de renner een nieuwe gezondheidstest aanvragen. Is deze test wel onder 50 hematocriet, dan wordt de licentie terugge-geven. Wie weigert aan een bloedtest deel te nemen wordt ook twee weken uitgesloten.

Zondag 9 maart 1997 is een historische dag in het wielrennen, want vóór de proloog van de etappewedstrijd Parijs-Nice worden in een hotel bij renners van de ploegen Batik, Cofidis, La Françai-se des Jeux, Mutuelle en ONCE de eerste bloedtests uitgevoerd.

De dopinginspecteur van de UCI, Jean-Marie Pérard, wordt om kwart voor vijf 's ochtends door dokter Lon Schattenberg, hoofd van de medische commissie van de UCI, uit bed gebeld. Hij begeeft zich terstond naar het hotel van de renners, die voor dag en dauw met een serie klopsignalen op hun kamerdeuren ruw uit hun dromen worden gewekt.

Bij de twintig aangewezen renners wordt 4 milliliter bloed afgenomen. Uit Lausanne is dr. Saucey overgevlogen, die de analyses verricht. Een paar uur later mag iedereen starten in de proloog van Parijs-Nice. De volgende dag wordt de uitslag van deze eerste bloedtests bekend. Drie renners hebben een te hoge hematocrietwaarde: de Fransman Erwan Menthéour van de ploeg La Française des Jeux en de Italianen Luca Colombo van Batik en Mauro Santaromita van MG, de ploeg van Giancarlo Ferretti, alias 'de kampioenenmaker'. Menthéour heeft 56,4 procent, Colombo 51,2 procent en Santaromita 51,4 procent.

De UCI is zorgvuldig te werk gegaan. Als blijkt dat bij een bloedstaal de hematocrietwaarde boven 50 procent is, worden vijf analyses gemaakt en wordt 1 procent afwijkingsmarge van de apparatuur in acht genomen. Dit betekent dat een renner pas 'ongezond' is als hij 51 procent scoort.

De ploegleiders Marc Madiot van La Française des Jeux en Flavio Miozzo van Batik krijgen een boete van 10.000 Zwitserse francs, ongeveer f 14.000,-. De drie renners wordt elk 1000 Zwitserse francs boete, f 1400,-, opgelegd. Deze boetes worden echter op 12 maart 1997 door de UCI kwijtgescholden.

Vooral Erwan Menthéour is woedend. Hij gaat de volgende dag naar een neutrale arts en laat zich vergezellen van een deurwaarder. De arts stelt vast dat zijn hematocrietwaarde slechts 46,6 procent is.

De actie van Menthéour heeft geen succes. Want inmiddels is bekend dat iemand zijn hematocrietwaarde door veel te drinken en zoutoplossingen te nemen in korte tijd kan laten zakken. Menthéour zegt tegen de media: 'Ik ben geen tricheur, geen bedrieger, ik zal voor mijn rechten vechten. Ik stap naar een rechtbank.'

Zover komt het niet. De Breton Menthéour stopt na vier seizoenen als beroepsrenner op aandringen van zijn vrouw, die hem ervan heeft overtuigd dat hij met wielrennen onnodige risico's met zijn gezondheid heeft genomen; hij bekent aan het commerciële radiostation Europe 1 dat hij tijdens zijn loopbaan doping gebruikt heeft. Later zou Menthéour nog een rol spelen in het Festina-dopingproces in Lille.

Na Erwan Menthéour, die dus als eerste officiële EPO-zondaar wordt gezien, is de lijst van renners die een te hoog hematocriet hadden sinds 9 maart 1997 langer en langer geworden.

Te hoog hematocriet

1997

1. Erwan Menthéour FRA (La Française des Jeux) Parijs-Nice
2. Luca Colombo ITA (Batik) Parijs-Nice
3. Mauro Santaromita ITA (MG-Technogym) Parijs-Nice
4. Wim van Sevenant BEL (Vlaanderen 2002) Driedaagse van de Panne
5. Claudio Chiappucci ITA (Asics) Ronde van Romandië
6. Thierry Laurent FRA (Festina) Ronde van Italië
7. Vladimir Pulnikov UKR (Kross) Ronde van Italië
8. Marco Gili ITA (Kross) Ronde van Italië
9. Roberto Moretti ITA (Kross) Ronde van Italië
10. Daniel Clavero ESP (Banesto) Ronde van Spanje
11. Juan Carlos Dominguez ESP (Kelme) Ronde van Spanje
12. Cyrill Bonnand FRA (ATB) WK Chateau d'Ax
13. Jean-Claude Savignoni FRA (ATB) WK Chateau d'Ax
14. Seamus McGrath CAN (ATB) WK Chateau d'Ax
15. Filip Meirhaeghe BEL (ATB) WK Chateau d'Ax
16. Aitor Garmendia ESP (Banesto) Ronde van Catalonië
17. Claudio Chiappucci ITA (Asics) WK San Sebastian

1998

18. Angel Edo ESP (Kelme) Milaan-San Remo
19. Nicola Miceli ITA (Riso Scotti) Ronde van Italië
20. Riccardo Forconi ITA (Mercatone Uno) Ronde van Italië
21. Mario Nanzoni ITA (Mobilvetta) Ronde van Portugal
22. Graziano Racinella ITA (Mobilvetta) Ronde van Portugal
23. Paolo Alberati ITA (Mobilvetta) Ronde van Portugal
24. Renzo Ragnetti ITA (Mobilvetta) Ronde van Portugal
25. Gilberto Simoni ITA (Cantina Tollo) Ronde van Portugal
26. Andrea Dolci ITA (Cantina Tollo) Ronde van Portugal
27. Massimo Apollonio ITA (Vini Caldirola) Ronde van Portugal
28. Renzo Tagnotti ITA (Mobilvetta) Ronde van Portugal
29. Marco Magnani ITA (Cantina Tollo) Parijs-Brussel

1999

30. Marc Janssens BEL (Palmans) WB veldrijden Nommay
31. Filippo Meloni ITA (Amore & Vita) Giro del Capo
32. Nicola Loda ITA (Ballan) Ronde van Italië
33. Javier Ochoa ESP (Kelme) Ronde van Italië

34. Marco Pantani ITA (Mercatone Uno) Ronde van Italië
35. Andrea Colinelli ITA (baanrenner) Stage Padua
36. Sergei Gontchar UKR (Vini Caldirola) Ronde van Zwitserland
37. Harald Morscher AUT (Saeco) Ronde van Zwitserland
38. Massimo Gimondi ITA (Amore & Vita) Ronde van Zwitserland
39. Timothy Jones ZAF (Amore & Vita) Ronde van Zwitserland
40. Tamara Polikova SLO (wielrenster) Ronde van Italië
41. Marc Streel BEL (Jack & Jones) GP des Nations
42. Fulvio Frigo ITA (Selle Italia) GP Lazio
43. Giacomo Cariulo ITA (Amica Chips) GP Lazio
44. Igor Bonciucov MOL (Moldavië) WK tijdrijden
45. Erik Dekker NED (Rabobank) WK weg profs Verona
46. Jan van Eijden GER (baanrenner) WK baan Berlijn
47. Edita Kubelskiene LIT (baanrenster) WK baan Berlijn
48. Radomir Simunek TCH (veldrijder) WB Safenwil
49. Jan Ostergaard DEN (ATB) EK Lissabon
50. Giacomo Puccianti ITA (amateur) Giro delle Marche

2000
51. Yvonne Schnorff SUI (wielrenster) Waalse Pijl
52. Dave Bruylandts BEL (Farm Frites) Catalaanse Week
53. Nicolay Bo Larsen NOR (Memory Card) Ronde van Vlaanderen
54. Evgueni Berzin RUS (Mobilvetta) Ronde van Italië
55. Sergei Ivanov RUS (Farm Frites) Ronde van Frankrijk
56. Rossano Brasi ITA (Polti) Ronde van Frankrijk
57. Andrej Hauptman SLO (Vini Cardirola) Ronde van Frankrijk
58. Jan Ostergard DEN (amateur) Giro delle Marche
59. Enzo Mazzapesa LUX (amateur) Giro delle Marche

De verdenking van EPO-gebruik maakte ook een voortijdig einde
aan de loopbaan van Claudio Chiappucci, lange tijd de populairste
wielrenner in Italië. 'El Diablo', zoals hij genoemd werd, scoorde
in 1997 twee keer boven 50 procent hematocriet. Op 6 november
1999 nam Chiappucci afscheid in het Spaanse Valencia: op een
circuit van 600 meter ging hij de strijd aan met Sheila Herrero,
wereldrecordhoudster op de 5 en 10 kilometer rolschaatsen. In de
slotmeters liep 'El Diablo' op zijn tegenstandster in en hij versloeg
haar met gering verschil. En zo verdween Claudio Chiappucci,

omdat geen ploeg hem wegens EPO-verdenkingen meer wilde hebben, in de anonimiteit.

Veruit de bekendste 'hematocriet-affaire' is die van de Italiaan Marco Pantani in de Ronde van Italië van 1999. De bejubelde Tour-winnaar van 1998, de man die in z'n eentje met zijn spectaculaire solo's in het hooggebergte de 'doping-Tour' van 1998 op de valreep redde en op de Champs-Elysées in Parijs bejubeld werd, stond op zaterdag 5 juni 1999, één dag voor de finish in Milaan, met een straatlengte (liefst 5′38′′) voor in het algemeen klassement van de Giro, die hij op één been zou gaan winnen. Hij maakte zich derhalve op voor een triomfale ontvangst in Milaan.

Pantani sliep die nacht in het lieflijke wintersportplaatsje Madonna di Campiglio. De roze trui hing in z'n hotelkamer over een stoel, als symbool van zijn macht en invloed. De tifosi, de warmbloedige Italiaanse fans, hadden zich de dag ervoor al massaal naar de flanken van de Dolomieten gespoed, waar Pantani zou passeren: de kale man in het roze, aanbeden zoals destijds Coppi en Bartali, de campionissimi met eeuwigheidsgehalte.

De overmacht van Marco Pantani in deze Ronde van Italië was in de voorafgaande drie weken zo manifest, zo onmiskenbaar geweest dat de meeste gokkers bij de bookmakers massaal op 'Il Pirata' hadden ingezet. Pantani deed 3 op 1 bij de bookmakers, dat wil zeggen: wie 100.000 lires op hem had ingezet kreeg er bij zijn zege 300.000 lires voor terug.

Op deze zwarte 5e juni 1999 werd er echter om kwart voor zeven door de UCI een bloedtest uitgevoerd bij de hoogstgeklasseerden in de Giro, dus ook bij Pantani.

Rond die tijd klimt het licht in Madonna di Campiglio langzaam over de majestueuze rotsen. Een tijdstip voor romantische bespiegelingen, maar geen oord voor de geboorte van een schandaal dat het land schokte.

De dopingcontroleur van de UCI en drie medewerkers van het geaccrediteerde ziekenhuis Santa Anna in Como (een arts, een chemicus en een laborant) namen 4 milliliter bloed van Pantani.

Die ochtend sierde het roze van Pantani nog in zeer forse opmaak de Italiaanse kranten. Maar in de machine van de UCI werd bij hem een hematocriet van 53 procent vastgesteld. De 'held' van sportminnend Italië werd uit de wedstrijd genomen en het schandaal schokte de Azzurri.

De nieuwsbulletins van de RAI openden met Pantani, terwijl op dat moment de oorlog in Kosovo nog volop woedde. De Italiaanse premier Massimo D'Alema verscheen in een ingelaste uitzending op de televisie en zei: 'Ik deel de bitterheid van Pantani', een ongehoorde uitspraak voor de politiek leider van een land, die begaan zou moeten zijn met de volksgezondheid en de wetten van de sportiviteit.

Inmiddels hadden de 'vampiers', zoals de dopinginspecteurs van de UCI door de renners genoemd worden, Madonna di Campiglio verlaten en waren op weg naar Como. Het parket in Trento startte onmiddellijk een gerechtelijk vooronderzoek. Procureur Bruno Giardina bestelde een helikopter, die de inspecteurs van 'Santa Anna' achternavloog om het restant van het bloed van Pantani nog diezelfde namiddag op te eisen. Het bloed werd door de politiemannen verzegeld en afgevoerd.

Waarom zoveel drukte rond de bloedstaal van Pantani? In Italië ging al enige tijd het gerucht dat de maffia geïnfiltreerd was bij de dopingcontroles. Diverse procureurs – vooral die in Turijn, Ferrara, Milaan en Trento – beten zich na de doping-Tour van 1998 en na verklaringen van een aantal betrokkenen uit het metier als Schotse terriërs vast in de schimmige wereld van het dopinggebruik in de sport. Ze joegen niet langer op miserabele drugsdealers, maar op beroemde sportlieden als Marco Pantani en de skiër Alberto Tomba.

Een van de beruchtste criminelen van Italië, Renato Vallanzasca, die in 1987 Marco van Basten en Ruud Gullit wilde ontvoeren om een hoog losgeld te krijgen, zegt in zijn boek *Il Fiore del Male, Bandito*: 'De georganiseerde misdaad zat achter de uitsluiting van Marco Pantani op de voorlaatste dag van de Ronde van Italië. Want in april 1999 adviseerde een medegevangene in de gevangenis van Milaan mij al niet op Pantani te wedden omdat die toch niet zou winnen.'

En nu Pantani op de voorlaatste dag uit de ronde werd gezet, hoefden de bookmakers in Italië een enorm kapitaal niet uit te betalen.

Pantani kwam, zoals gezegd, bij de procureur van Turijn in het vizier toen hij op 18 oktober 1995 tijdens de semi-klassieker Milaan-Turijn in een afdaling met grote snelheid op een jeep botste, bestuurd door een jongeman die door de politieafzetting was geglipt. In het ziekenhuis Cava dei Tirreni, waar hij werd geopereerd, zou toen een bloedstaal zijn afgenomen met een zeer hoge hematocrietwaarde, liefst 59 procent.

Op maandag 13 september 1999, drie weken voor het begin van de wereldkampioenschappen wielrennen in Verona, werden in verband met de mogelijke maffia-infiltratie en in verband met de affaire-Pantani, vier functionarissen van de UCI door de procureur van Turijn ontboden en langdurig verhoord. Het waren Lon Schattenberg, hoofd van de medische commissie, de Brabantse dopinginspecteur Wim Jeremiasse (inmiddels overleden), de coördinator dopingzaken in Lausanne Enrico de la Casa en mevrouw Sandrine Martelli, secretaresse bij de UCI.

De procureur, Raffaele Guariniello, voelde dokter Schattenberg aan de tand.

'Als u weet dat een renner al een hematocriet van 44 heeft en plotseling heeft hij 46, waarom haalt u hem dan niet uit de wedstrijd?'

Dokter Schattenberg antwoordde: 'Omdat ook andere oorzaken dan EPO-gebruik de verhoging kunnen veroorzaken.'

De procureur vond van niet: 2 procent méér is altijd doping.

Dokter Schattenberg: 'Iemand kan een hoogtestage hebben ondergaan.'

De procureur: 'Een hoogtestage betekent altijd maar 1 procent meer.'

Tegen Wim Jeremiasse zei de procureur: 'U controleert de laatste jaren veel in Italië, bent u weleens benaderd om met de controles te sjoemelen?'

Wim Jeremiasse antwoordde: 'De UCI is niet omgekocht door de maffia.'

De procureur: 'U kent Pantani goed?' Het was een geniepige vraag: ook in de Giro van 1998 werd, op de voorlaatste dag voor de tijdrit, een bloedcontrole gehouden. Toen zou, volgens geruchten in het peloton, het bloed van Pantani verwisseld zijn met dat van zijn ploeggenoot Riccardo Forconi. Pantani ging vrijuit, Forconi werd uit de wedstrijd genomen.

Jeremiasse: 'Ik was toen degene die de controle deed en ik zweer dat het onmogelijk is dat er verwisseling van het bloed heeft plaatsgevonden. Ik heb de bloedstalen geen seconde uit het oog verloren.'

De procureur: 'Hoe kon het gebeuren dat tijdens de Giro de controles in Gubbio en Cesenatico (de woonplaats van Pantani) tevoren in de krant werden vermeld?'

Jeremiasse: 'Iemand heeft gelekt.'

De procureur: 'Weet u dat Pantani na zijn ongeval in 1995 in Turijn een hematocriet van 59 had?'

Dokter Schattenberg: 'Bij een dergelijk ongeval is dat nog geen indicatie van EPO-gebruik. De patiënt bevindt zich in een abnormale toestand, hij is gestrest en daardoor kan indikking van het bloed plaatsvinden.'

Na een ondervraging van tweeënhalf uur, waarbij een tolk zorgvuldig de antwoorden noteerde, mochten de vier functionarissen eindelijk vertrekken. Het justitiële onderzoek naar Marco Pantani wordt tot op de dag van vandaag voortgezet.

Saillant detail: de na zijn ongeluk in 1995 in Turijn in beslag genomen bloedstaal van Marco Pantani is op mysterieuze wijze verdwenen uit het ziekenhuis Cava dei Tirreni, waar hij bewaard werd. Toen procureur Pierguido Soprani van Ferrara in het kader van het onderzoek naar het toedienen van EPO door professor Conconi op 7 november 1999 de bloedstaal opeiste, bleek die onvindbaar. De mist rond Pantani wil maar niet optrekken.

5. De doping-Tour en het vervolg

Op 8 juli 1998 wordt op een sluipweggetje vlak bij de Belgisch-Franse grens in Neuville-en-Ferrain de Belgische verzorger van de Festina-ploeg, Willy Voet, door de Franse douane aangehouden. In de auto van Willy Voet, die op weg is naar Dublin, waar drie dagen later de Tour de France van start gaat, worden grote hoeveelheden verboden producten aangetroffen.

Volgens de Franse justitie vervoerde Willy Voet negen verschillende producten: 20 flacons Eprex 4000 (EPO) à f 325,- per flacon, 25 ampullen Erantin 2000, 165 ampullen Agna Para, 82 flacons Salzen, 60 ampullen Heperlipen, 60 capsules Somatropine (groeihor-

Foto: Cor Vos

De gedopeerde Festina-ploeg, zoals altijd omringd door de media. V.l.n.r. wereldkampioen Laurent Brochard, Richard Virenque en Laurent Dufaux.

monen), 248 zakjes zoutoplossing (om bloed te verdunnen), 4 ampullen Synacten en 60 capsules Panteston (anabole steroïden en spierversterkers).

Willy Voet wordt gearresteerd en bekent zes dagen later dat hij in opdracht van Festina dopingmiddelen vervoerde. Na afloop van de vierde etappe worden op 15 juli in Cholet manager-ploegleider Bruno Roussel van Festina en ploegarts Eric Rijckaert gearresteerd. Ze worden in afzonderlijke auto's overgebracht naar de gevangenis in Lille.

Op 17 juli besluit Tour-directeur Jean-Marie Leblanc in Brive-la-Gaillarde de negen renners van Festina uit de Tour te verwijderen.

Op 21 juli bekent de arts Eric Rijckaert aan de Franse justitie dat bij Festina een aparte kas bestaat waarin renners premies en startgelden storten voor het aankopen van verboden producten. Manager Bruno Roussel zou volgens de Franse justitie hebben toegegeven dat Festina al zes jaar met een zwarte dopingkas werkt.

Op 23 juli worden de negen renners van Festina door de politie in Lyon ondervraagd. Vijf renners, onder wie de Zwitserse Nederlander Alex Zülle, Laurent Dufaux en Laurent Brochard, brengen de nacht door in een politiecel.

Foto: Cor Vos

De Belgische Festina-arts Eric Rijckaert wordt gearresteerd in de Tour van 1998.

Richard Virenque, Pascal Hervé en Neil Stephens ontkennen dopinggebruik. Drie directeuren van Festina, de ploegleiders Miguel Moreno en Michel Gros en logistiek directeur Joël Sabiron, worden op last van onderzoeksrechter Patrick Keil uit Lille in Lyon aangehouden.

Richard Virenque barst in tranen uit als hij verneemt dat hij uit de Tour wordt verbannen.

Ploegleider Cees Priem van TVM en de Russische ploegarts Andrei Michailov worden tijdens de rustdag in Pamiers op 23 juli door de politie gearresteerd.

TVM ligt ook onder vuur omdat eerder in het jaar, op maandag 9 maart, op de autoweg in Courcy in de Marne bij de tolheffing een vrachtauto van de TVM-ploeg, die op de terugweg is van de Ronde van Murcia, is aangehouden. In de vrachtauto ontdekte de douane 104 ampullen EPO. Ploegarts Michailov verklaart dat de EPO bestemd is voor een ziekenhuis in Moskou.

In Tarascon-sur-Ariège voeren de renners bij de start van de twaalfde etappe actie tegen het optreden van de Franse politie. Na felle discussies besluit het peloton toch maar op weg te gaan. Willy Voet wordt in Lille, na zijn bekentenis, vrijgelaten.

Voor de Zwitserse televisie biecht Alex Zülle op 25 juli zijn dopingzonden op. 'Ik had twee mogelijkheden: of stoppen of meedoen.' Over zijn ondervraging door de politie in Lyon zegt Zülle:

'De politie begon vriendelijk en ik kreeg koffie. Maar 's avonds werd ik naar een cel gebracht waar een brits stond. Het stonk er naar urine en poep. Ik moest me uitkleden en voorover gaan staan. Ze keken in mijn lichaamsholten. Ik moest alles afgeven, mijn bril, mijn kettinkje, mijn oorbel en mijn schoenen. Ik voelde me in dat varkenshok diepellendig. De volgende ochtend werd ik keihard verhoord, ik was psychisch kapot. Toen heb ik toegegeven dat ik EPO had gebruikt. Ik wilde geen verrader zijn, maar ik kon niet meer.'

Na tweeëntwintig uur te zijn vastgehouden mag Zülle naar Zwitserland vertrekken.

Op 27 juli worden Priem en Michailov naar de Robespierre-gevangenis in Reims overgebracht en in staat van beschuldiging gesteld op verdenking van overtreding van de Wet op giftige stoffen. Ploegleider Bruno Roussel mag, na zijn bekentenis, de gevangenis verlaten.

De Franse politie valt op 28 juli in Albertville met twintig man het hotel van TVM binnen. De zes overgebleven TVM-renners, Blijlevens, Voskamp, Knaven, De Jongh, Outchakov en Ivanov, worden meegenomen naar een ziekenhuis voor medisch onderzoek. Verzorger Jan Moors wordt in hechtenis genomen.

Een dag later, op 29 juli, keert het peloton zich tegen de Franse justitie. Want de renners van TVM, die werden aangehouden zonder dat ze, na een zware etappe over vijf Alpen-cols, hadden kunnen douchen en eten, komen pas om halfdrie 's nachts terug in hun hotel. En twee TVM'ers, Ivanov en Outchakov, werden door de politie afgevoerd met jasjes over hun hoofden, alsof ze gevaarlijke gangsters waren.

Wanneer de verhalen van de TVM'ers in het peloton doordringen, ontsteken veel renners in woede. Het peloton weigert op normale wijze de etappe te rijden. Marco Pantani verwijdert als eerste zijn rugnummer. Zo wordt deze 29e juli de zwartste dag in de geschiedenis van de Tour. Onderweg is het een onwezenlijk beeld. Het publiek applaudisseert voor het kuierende peloton. Laurent Jalabert stapt uit protest af en de ONCE-ploeg volgt. Na ONCE verlaten de andere Spaanse ploegen, Kelme, Banesto en Vitalicio, de Tour. In Aix-les-Bains passeren de renners, met de TVM-ploeg juichend voorop, de finish. Van de etappe wordt geen klassement opgemaakt. 's Avonds wordt de Italiaan Rodolfo Massi, de leider in het bergklassement, gearresteerd op verdenking van handel in als doping beschouwde middelen. De Italiaanse wielerbond schorst Massi voor zes maanden.

Op 30 juli vertrekken nog slechts 103 renners voor de etappe naar Neuchâtel. Meteen na het passeren van de Zwitserse grens stapt Jeroen Blijlevens af en gooit zijn fiets demonstratief in een greppel langs de weg. De andere renners van TVM volgen zijn voorbeeld.

TVM-verzorger Jan Moors wordt van Albertville overgebracht naar Reims. Richard Virenque kondigt aan dat hij de Tour-directie zal aanklagen wegens derving van inkomsten.

Op 2 augustus 1998 bereiken zesennegentig renners uiteindelijk de finish op de Champs-Elysées in Parijs.

Op 10 augustus worden Cees Priem en Jan Moors uit de gevangenis van Reims ontslagen. Ze mogen Frankrijk niet verlaten en dienen zich ter beschikking van de Franse justitie te houden. Dit betekent dat ze zich dagelijks op een politiebureau moeten melden. Het tweetal neemt zijn intrek in hotel Champagne, rue E. Mercier 30 in Epernay.

Op 11 augustus worden de apothekers Christine en Eric Paranier uit Veynes gearresteerd omdat ze dopingproducten hebben verkocht aan verzorger Willy Voet.

De Zwitserse wielerbond schorst op 1 oktober 1998 Alex Zülle, Laurent Dufaux en Armin Meier voor acht maanden. De UCI

De renners staken tijdens de doping-Tour.

brengt de straf terug tot zeven maanden zodat het drietal op 1 mei 1999 de competitie kan hervatten.

Op 20 oktober mag de arts van Festina, de Belg Eric Rijckaert, die inmiddels aan kanker lijdt, na het betalen van een borgsom van f 17.000,- de gevangenis van Douai verlaten. Familie en vrienden van Rijckaert vieren in Oostwinkel bij Zomergem een groot feest.

Op 6 oktober noemt de Franse justitie de resultaten van de bloed-, urine- en haartests die bij de renners van TVM zijn afgenomen 'interessant'.

Op 9 oktober start het blad *Wieler Revue* een kaartenactie om de in Frankrijk vastgehouden Cees Priem en Jan Moors moreel te steunen. 'Je suis faché' (Ik ben boos) staat op de vijftigduizend kaarten die *Wieler Revue* laat drukken. In korte tijd worden 47 000 kaarten bij de redactie opgevraagd. De kaarten worden door de steunbetuigers naar de Franse ambassade in Den Haag verzonden. Daar weigert men te reageren.

Op 3 december verklaart Willy Voet in *France Soir* dat Richard Virenque per jaar honderd injecties EPO kreeg. Op dezelfde dag worden acht renners van TVM, Blijlevens, Van Petegem, Van Dijck,

Foto: ANP

Eindelijk mogen verzorger Jan Moors (links) en ploegleider Cees Priem Frankrijk verlaten. Hun Tour de France duurde in 1998 bijna een halfjaar.

Hoffman, Lafis, Knaven, Voskamp en Outchakov, opnieuw door onderzoeksrechter Patrick Keil van het parket in Lille verhoord.

Op 4 december mogen Priem, Moors en Michailov eindelijk Frankrijk verlaten.

Op 11 december worden manager Bruno Roussel en verzorger Willy Voet van Festina voor vijf en drie jaar geschorst. De renners Christophe Moreau, Didier Rous en Laurent Brochard van Festina mogen tot 30 april 1999 niet meer aan wedstrijden deelnemen.

Op 18 december verhoort Patrick Keil in Lille de Spaanse arts Nicolas Terrados van ONCE, voorzitter van de vereniging van in de Spaanse wielersport werkzame artsen. Terrados wordt ervan beschuldigd verboden producten over de Franse grens te hebben gesmokkeld.

De Italiaanse politie heeft een aantekenboekje van de arts Michele Ferrari in beslag genomen waarin achter namen van renners sterretjes staan die zouden kunnen wijzen op EPO-gebruik. De procureur van het parket in Bologna, Giovanni Spinosa, ontbiedt de renners Paolo Savoldelli, Ivan Gotti, Alessandro Bertolini, Gianluca Bortolami, Pavel Tonkov en Axel Merckx voor verhoor omdat zij in hun loopbaan in aanraking zijn gekomen met dokter Ferrari. Axel Merckx verklaart: 'Ik heb niks met Ferrari te maken. Ik zocht hem in mijn eerste profjaar een keer op om trainingschema's te krijgen.'

Op 14 april 1999 maakt Jean-Marie Leblanc bekend dat de TVM-ploeg niet tot de Tour zal worden toegelaten.

Op 6 mei overhandigt Willy Voet schriftjes aan onderzoeksrechter Keil in Lille. Daarin heeft hij genoteerd welke verboden middelen de renners met wie hij van 1991 tot 1997 werkte van hem kregen. De schriftjes zijn vooral belastend voor Richard Virenque en Pascal Hervé.

En anderhalf jaar later, in oktober 2000, begint dan eindelijk het Festina-proces.

6. Nandrolon

Vijfentwintig jaar geleden was het anabool nandrolon in de sportwereld al zeer populair onder de naam Deca-Durabolin, geproduceerd door Organon in Oss. Deca-Durabolin wordt door artsen nog altijd voorgeschreven aan patiënten die, bijvoorbeeld, een zware operatie hebben ondergaan, ondervoed zijn, brandwonden hebben, aan botontkalking lijden of bij wie weefselafbraak wordt vastgesteld.

Net als EPO, die oorspronkelijk bedoeld is voor nierpatiënten, wordt Deca-Durabolin helaas ook misbruikt in de sportwereld. Wie keiharde trainingen volgt, heeft te maken met een zekere weefselafbraak, en dus ging in de sportwereld de spuit Deca-Durabolin erin om sneller te herstellen van de trainingsarbeid. De sportwereld ervoer dat de bijwerkingen van de anabole stof nandrolon wel meevielen in vergelijking met de soms desastreuze gevolgen van andere anabole steroïden.

En zo dook in de loop van tientallen jaren bij dopingkwesties dikwijls de naam nandrolon op. Omdat het op den duur gemakkelijk traceerbaar werd in de laboratoria verdween het anabool enige tijd uit de belangstelling, totdat het de laatste jaren weer een onweerstaanbare opmars maakte als zogenaamd wondermiddel. Insiders zijn ervan overtuigd dat in de sportwereld ook vandaag de dag méér nandrolon wordt gepakt dan EPO.

Vooral in de voetbalwereld, waar de dopingcontroles veel te wensen overlaten, wordt bij veel gerenommeerde Europese clubs de conditie van spelers mede met behulp van nandrolon op peil gebracht.

De laatste jaren passeert een onafzienbare reeks dopinggevallen de revue waarin bij wielrenners, voetballers, zwemmers, gewichtheffers, atleten – kortom, vrijwel in alle sportdisciplines – nandrolon wordt aangetoond.

In 1989 is de veldrijder Frank van Bakel positief na de cross in het Baskische Zarauth. Er wordt nandrolon in zijn urine gevonden. De Italiaanse prof Federico Ghiotto is in 1990 tijdens de Ronde van Sicilië positief op nandrolon. Hij wordt voor twee jaar geschorst, maar krijgt na een jaar gratie.

De Fransman Philippe Gaumont, de renner die in mei 1999 in Amiens met Frank Vandenbroucke werd gearresteerd en naar Parijs werd afgevoerd, is positief op nandrolon in de Ronde van de Picardische kust, de Vierdaagse van Duinkerken en in de Ronde van de Oise. Hij heeft nandrolon gekregen van de arts Patrick Nedelec.

De Spanjaard Angel Casero van Banesto wordt op 12 mei 1996 bij een verrassingscontrole in de GP Albendas in Spanje betrapt op nandrolon.

De Franse profvoetballer Antoine Sibierski van Auxerre is in 1997 positief op nandrolon. Ook de voetballers Cyrille Pouget van Toulouse en Vincent Guérin van Paris SG zijn in de herfst van 1997 positief op nandrolon.

De Italiaanse Olympische kampioene MTB, Paola Pezzo, wordt in december 1997 in Annecy betrapt op nandrolon. De contra-expertise in Parijs is eveneens positief, maar de kwestie wordt later geseponeerd wegens vormfouten.

Foto: ANP

Linford Christie werd beschuldigd van het gebruik van nandrolon.

In 1999 zijn de atleten Merlene Ottey, Linford Christie, Doug Walker, Mark Richardson, Troy Douglas en Dieter Baumann allen positief op nandrolon. Ook de wielrenners Laurent Desbiens, Jacky Durand, David Derique en Thierry Laurent worden gepakt op nandrolon.

Op 21 december 1999 is de Italiaanse Fabiana Luperini, meervoudig winnares van de Ronde van Italië en de Tour Féminin, positief op nandrolon.

Het is een eindeloze reeks.

Maar er zijn twijfels gerezen of alle betrapten op nandrolon ook werkelijk schuldig zijn. Vooral in de Verenigde Staten, maar ook in Europa, zijn in de winkels vrij voedingssupplementen (soms in de vorm van repen) te koop die afbraakproducten (metabolieten) bevatten die een sterke overeenkomst vertonen met nandrolon, zonder dat dit op de wikkels vermeld is.

Het gaat om DHEA, dat in energieproducten voorkomt. De analisten kunnen in de urine niet zien of ze te maken hebben met moedwillig ingenomen nandrolon of met metabolieten van voedingssupplementen. Zo kunnen sportlieden positief zijn op nandrolon zonder dat ze het zelf weten.

Hier falen de overheden, die veel strenger zouden moeten toezien op de stoffen die in deze voedingssupplementen worden gestopt.

De Nederlandse atleet Troy Douglas, in wiens urine ook sporen van nandrolon werden gevonden, kocht in de week waarin hij betrapt werd nieuwe voedingssupplementen in een nieuwe winkel. Douglas zegt niet te weten of er DHEA in zat.

In veel landen is het overheidsbeleid ten aanzien van dopinggebruik repressief. Er wordt op dopingzondaars gejaagd zonder dat er veel aandacht wordt besteedt aan preventie – zoals het testen van voedingsproducten of het geven van voorlichting over de grote gevaren van dopinggebruik voor de gezondheid.

Hier ligt een taak voor het onafhankelijke World Doping Agency (WADA), het antidopingbureau in Lausanne, met in het dagelijks bestuur vier ministers. Het WADA zal wereldwijd moeten zorgen voor harmonisatie van de controles, de lijsten van verboden producten en de strafmaat. Negenentwintig staten hebben het WADA financiële steun toegezegd. Maar er is nog een lange weg te gaan.

7. Alle kampioenen onder vuur

Op dinsdag 24 oktober 2000, de tweede dag van het Festina-proces in Lille, hekelt de voormalige trainer van Festina, de Fransman Antoine Vayer, in zijn getuigenverklaring tweevoudig Tour-winnaar Lance Armstrong. 'Wat Armstrong in de voorbije Tour deed – *c'est un scandale!*' zegt Vayer. 'Hij reed in de tijdrit meer dan een uur lang bijna 54 kilometer per uur!' En, zich wendend tot rechter Delegove: 'Voorzitter, u begrijpt wat ik hiermee bedoel.'

Tijdens hetzelfde proces beschuldigt de Franse wielrenner Thomas Davy zijn voormalige werkgever Banesto en de kopman van deze ploeg Miguel Indurain van georganiseerd dopinggebruik. Davy doet zijn uitspraak op 26 oktober, de vierde dag van het proces. 'Ik ben niet altijd in alle kamers geweest, maar ik denk dat ook Indurain doping pakte.'

Davy bekent dat hij in 1995 en 1996 bij Banesto EPO gebruikte. 'Ze vertelden niet wat ze ons gaven, maar het bleek achteraf EPO te zijn. Bij Banesto was dopinggebruik net zo georganiseerd als bij Festina.'

Miguel Indurain won vijf keer de Tour de France. Hij gedroeg zich altijd als een correcte sportman die nooit bij een schandaal betrokken was. Eén keer tijdens zijn carrière, in de Ronde van de Oise, werd ventolin in zijn urine gevonden. Aanvankelijk ontstond hierover grote opschudding. Maar ventolin en terbutaline zijn de enige bèta-2-agonisten die door de UCI zijn toegestaan, mits op medisch attest en niet gespoten. Miguel Indurain werd niet gestraft omdat hij ventolin als neusspray gebruikte tegen zijn pollenallergie.

In september 1994 wordt het imago van de tweevoudige Italiaanse wereldkampioen Gianni Bugno beschadigd. In zijn urine wordt

16,2 microgram cafeïne ontdekt, waar maximaal 12 microgram per milliliter urine is toegestaan. 'Te veel koppen zwarte koffie gedronken,' reageert het wielermilieu enigszins lacherig. Maar cafeïne kan ook gebruikt worden om andere verboden stoffen in de urine te maskeren.

Rodolfo Massi, de Italiaanse bergkoning in de Tour de France, wordt tijdens de doping-Tour van 1998 in zijn bolletjestrui gearresteerd. In zijn hotelkamer worden medicamenten gevonden. Zijn bijnaam is al snel gevonden: 'de apotheker'. Hij zou verboden producten verkopen aan andere renners. Onderzoek van de Franse justitie brengt echter aan het licht dat Massi op doktersvoorschrift slechts medicijnen tegen zijn eigen allergie bij zich had. Adjunct-procureur Gérald Vinsonneau van het parket in Lille verklaart in juni 2000 dat Massi niet voor de rechter hoeft te verschijnen. Zijn zaak wordt geseponeerd 'omdat de bewijzen onvoldoende zijn voor het gerecht'. Daarop dient Rodolfo Massi, die door de Italiaanse wielerbond een halfjaar werd geschorst, via zijn advocaat tegen de Franse staat een eis tot schadevergoeding van 1 miljoen gulden in.

Vele kampioenen zijn verdacht. Stephen Roche, bijvoorbeeld, in 1987 in één seizoen winnaar van de Ronde van Italië, de Tour de France en het wereldkampioenschap. Hij komt voor in het cliëntenbestand van de omstreden arts Michele Ferrari, dat door de Italiaanse justitie in beslag is genomen. En de Zwitserse kampioen Tony Rominger, in 1995 winnaar van de Ronde van Italië en drievoudig winnaar van de Ronde van Spanje. Michele Ferrari was jarenlang zijn persoonlijk adviseur, die hem overal vergezelde. Ook naar Bordeaux, waar Tony Rominger op 5 november 1994 met 55 kilometer en 291 meter een onwaarschijnlijk nieuw werelduurrecord vestigde. Dr. Ferrari stond toen met een stopwatch in de hand onder aan de piste en riep bij elke passage aanwijzingen naar de Zwitserse vedette.

De schaatskampioenen, zwemkampioenen, uitblinkende voetballers en atleten – ze liggen allen onder vuur. Velen worden verdacht van manipulatie van hun lichaam. Ze moeten zich allemaal sneller voortbewegen, hoger en verder springen en langer presteren.

Toen Laurent Fignon in 1983 als drieëntwintigjarige de Tour de France won, noemde een boulevardblad in Parijs hem 'de zonnekoning'. Maar gaandeweg verduisterde de zon voor Fignon. Hij

werd in de Grote Bevrijdingsprijs in Eindhoven betrapt op het gebruik van amfetaminen.

Een van de wielerkampioenen van na de oorlog die nooit op dopinggebruik is betrapt is de Breton Bernard Hinault. Hij won vijf
keer de Tour de France, drie keer de Ronde van Italië, het wereldkampioenschap in Sallanches en de klassiekers Luik-Bastenaken-
Luik, de Amstel Gold Race en Parijs-Roubaix. Op een dag liep Hinault in de Tour tijdens een bergtijdrit de vóór hem gestarte Hennie Kuiper (Olympisch kampioen, wereldkampioen, kortom, ook
een wereldrenner) in. Hennie Kuiper vertelde nadien: 'Ik keek
hem in de ogen en het leek erop dat hij van een andere planeet was
gekomen.'

Alle kampioenen liggen dus onder vuur. Wie formidabel pres-
teert behoort automatisch tot de grootste verdachten. In dit op-
zicht is topsport verworden tot een circus waarin de ene speler de
andere niet meer vertrouwt. Recordlijsten worden onomwonden
anabolicalijsten of EPO-lijsten genoemd.

8. De slachtoffers

In 1960 worden de Olympische Spelen in Rome gehouden. Tijdens de ploegentijdrit over 100 kilometer op 26 augustus 1960 verliest het Deense viertal onderweg een van zijn renners. Hij valt zomaar van zijn fiets en overlijdt. Zijn naam: Knud Jensen. Tijdens een onderzoek komt aan het licht dat hij het verboden dopingproduct Ronicol, een bloedvatverwijdend middel, heeft genomen in combinatie met een overdosis aan amfetaminen. Of Ronicol ook de echte doodsoorzaak was, is nooit duidelijk geworden.

In 1968 valt de Belgische wielerprof Roger de Wilde tijdens de kermiskoers in Kemzeke dood van zijn fiets. In het boek *25 jaar doping* schrijft de betreurde radioreporter Theo Koomen: 'Uit onderzoek bleek dat Roger de Wilde een indrukwekkende hoeveelheid amfetamine had geslikt.' In hetzelfde boek staat: 'Op 5 juli 1959 nam de Belgische renner Pierre Becu, vijfentwintig jaar oud, deel aan het amateurkampioenschap over 191 kilometer. Becu vulde zijn bidon met koffie en acht tabletten fenyl-iso-propylaminesulfaat. Tijdens de wedstrijd slikte hij nog dertien tabletten van 0,005 milligram amfetamine. Kort voor de finish begon Becu te slingeren over de weg en hij viel. Hij stierf in het ziekenhuis.'

Op bladzijde 130 van *25 jaar doping* staat ten slotte:

In januari 1967 kwam de voormalige kampioen van België bij de stayers, de vierendertigjarige beroepsrenner Jos Verachtert, in Geel op tragische wijze om het leven. Nadat hij eerst zijn drieëndertigjarige echtgenote door wurging gedood had, sloeg hij de hand aan zichzelf. *Het Laatste Nieuws* schreef: 'Jos Verachtert, zo stelden de artsen vast, was geen moordenaar, maar een zenuwzieke...' In hoeverre dopinggebruik een rol in dit drama heeft gespeeld, is nooit vast komen te staan.

In juni 1989 wordt de trainer van Florence Griffith ('Flo Jo'), top-coach Bob Kersee, er voor de onderzoekscommissie in Toronto door de Canadese sprintster Angela Bailey van beschuldigd dat hij een 'dope-coach' is. Bailey is de laatste getuige in het regeringson-derzoek na het dopingschandaal rond Ben Johnson tijdens de Spe-len van Seoul. Ze trainde in 1986 bij Bob Kersee aan de Universi-teit van Californië in Los Angeles (UCLA). Na zes maanden besloot ze van trainer te veranderen. Want zonder dopinggebruik zou het programma van Kersee bij haar geen effect sorteren. De inspan-ningen zouden volgens de trainer met anabole steroïden onder-steund moeten worden.

Bob Kersee antwoordde laconiek op de beschuldigingen. 'Bailey heeft niet concreet gezegd dat ik haar drugs heb aangeboden, dus heeft het geen zin om te reageren.'

Kersee is in juni 1989 de coach van de twee meest gevierde at-letes van de laatste jaren: Jackie Joyner-Kersee, zijn echtgenote en wereldrecordhoudster op de zevenkamp, en Florence Griffith,

Florence Griffith, de godin van de sprint.

De begrafenis van Florence Griffith, amper vijf jaar nadat ze met de atle-tiek stopte.

Foto's: ANP

houdster van het onwaarschijnlijke wereldrecord op de 100 meter en drievoudig Olympisch kampioene in Seoul.

'Flo Jo' Griffith is een wereldster, een mooie vrouw, die zich smaakvol kleedt en haar kleren zelf ontwerpt. Ze is onder andere bekend door haar superlange nagels van vijftien centimeter en ze wordt de 'Diana Ross van de atletiek' genoemd. Een stralende verschijning, altijd omstuwd door fotografen en cameramensen. Ze is veelzijdig en schrijft gedichten, een novelle en kinderboeken.

Als zevende kind uit een gezin met elf kinderen toonde Florence al vroeg haar ijzeren wilskracht. Maar ze begon op haar negentiende pas echt met hardlopen. Bob Kersee startte in Los Angeles een atletiekclub en hij had gehoord over een meisje met talent, 'Flo Jo'.

Kersee zei over haar: 'Ik maak van Florence de vrouwelijke Carl Lewis.' In 1986 ging het echter slecht met Griffith. Haar relatie met de hordeloper Greg Foster liep op de klippen, 'Flo Jo' nam een baantje als secretaresse bij een bank aan en trainde nauwelijks meer. Twee mannen hielpen haar uit het dal: haar trainer Bob Kersee en Al Joyner, gouden-medaillewinnaar hinkstapspringen in 1984 in Los Angeles, haar nieuwe echtgenoot. En zo kwam 'Flo Jo' in haar 'tweede' carrière alsnog tot de grootste hoogtepunten, haar fenomenale wereldrecord op de 100 meter, 10"49''' op een bloedhete julidag in 1988 in Indianapolis, op de 200 meter in 21"34''' en haar drie gouden plakken tijdens de Spelen in Seoul. Kersee stamelde bij het wereldrecord op de 100 meter: 'Bij zo'n tijd kun je als coach niets meer doen.'

De kranten uit die tijd: 'Griffith verbijstert met wereldrecords', 'Griffith degradeert de andere deelnemers tot figuranten' en: 'Ze is de onbetwiste keizerin van de vrouwenatletiek.'

Maar er staat ook letterlijk in *Het Parool* van donderdag 29 september 1988: 'De verbijsterende progressie van Florence Griffith zou mede te danken zijn aan de preparaten die trainer Kersee – een expert in de biochemica – haar verschafte. Geen wonder dat in de geruchtenstroom over nieuwe dopingaffaires meer dan eens haar naam opdook.'

De 'Superwoman', de snelste vrouw ter wereld, die de cover van *Time* haalde en overal de show stal, komt dan andermaal in verband met doping in het nieuws. Het Duitse weekblad *Der Stern* plaatste een foto waarop de hardloper Darrell Robinson, derde op de wereldranglijst op de 400 meter, bij een reclamebord 'Quik Pick Market Liquor' staat. Het onderschrift luidt: 'Darrell Robinson op de plek waar hij voor 2300 dollar in contanten de groeihormonen voor Florence Griffith kocht van een dealer.' In *Panorama* van 28 september 1989 vertelt Darrell Robinson over zijn ontmoeting met de trainer van Griffith, in een Mexicaans restaurant in Long Beach: 'Hoe denk je over anabolen? Hoeveel neem je?' vraagt Bob Kersee. 'Ik heb voornamelijk Anavar en Dianabol geslikt,' zegt Robinson. 'Heel goed,' antwoordt Kersee, 'dat heeft onze mensen ook het beste geholpen.'

Op zaterdagavond 25 februari 1989 komt dan in New York plotseling het einde voor de 'Superwoman'. Snikkend en met haperende stem verklaart Florence Griffith dat ze afscheid neemt van de atletiekbanen die haar zoveel roem en zoveel geld – tientallen miljoenen dollars zelfs – hebben gebracht. Ze is sinds de Spelen van Seoul van huldiging naar huldiging gerend, van televisieoptredens in Los Angeles, in Parijs, Tokio en Monaco naar de show van Bob Hope in Las Vegas. Ze heeft door haar verplichtingen geen tijd meer om te trainen.

De manager van 'Flo Jo', Gordon Baskin, zegt in New York: 'Ze gaat een ander leven leiden, we zoeken een uitgever voor haar kinderboeken, we werken aan een biografie en Hollywood denkt over een film met Florence als de zwarte James Bond.' Florence Griffith (nog pas negenentwintig jaar) verlaat snikkend de perszaal.

Twee dagen later schrijft *Het Belang van Limburg*: 'Griffith stond niet alleen door haar prestaties en uiterlijke schoonheid in de belangstelling, maar ook door de geruchten die steeds weer opdoken dat zij haar onwaarschijnlijke prestaties leverde door het gebruik van verboden stimulerende middelen...' Een jaar eerder, in de editie van vrijdag 30 september 1988, schreef dezelfde Belgische krant over Griffith: 'Met welke brandstof vliegt deze mannequin?' In het artikel in *Het Belang* zegt Renno Roelandt, teamarts van de Belgische atleten en voormalige 400 meter-loper: 'Je ziet toch zo dat het mens vol anabolen steekt. Een goed getrainde mannelijke atleet heeft ongeveer 7 tot 8 procent vetweefsel. Griffith komt niet eens aan 4 procent. Puur spieren.'

En aan het eind van het artikel in *Het Belang* staat: 'Flo verscheen in de voorbije maanden op zestig covers van internationale weekbladen. In elk interview beantwoordde ze de vraag welke atleet ze het meest bewonderde met: "Ben Johnson!" De man die door zijn dopingaffaire tijdens de Spelen van Seoul de wereld schokte.'

Het Duitse blad *Sport Bild* schrijft in maart 1989 naar aanleiding van het afscheid van Griffith: 'De *Daily News* in New York citeert een hoge functionaris van de Amerikaanse atletiekbond. Hij zegt: "Het afscheid van Florence is het beste voor de sport, want de dopingcontroles worden steeds perfecter. Wat was er gebeurd als ze op anabole steroïden betrapt was? De sport zou er enorm onder geleden hebben." In dezelfde bewoordingen liet Carl Lewis zich over Griffith uit.'

En zo laat Florence Griffith (geboren 21 juni 1959 in Los Angeles, 1 meter 70, 59 kilo) bij haar afscheid een konkelende, roddelende en verwarde atletiekwereld achter.

Toen haar leraar op school ooit aan de zevenjarige Flo vroeg wat ze later wilde worden, antwoordde ze: 'Schoonheidsspecialiste, ontwerpster, actrice en dichteres'. En in deze hobby's wilde Flo zich voor de rest van haar leven gaan verdiepen. Maar nog geen acht jaar later is Florence Griffith dood. De 'Superwoman' sluit in september 1998 voorgoed de ogen. Ze is pas negenendertig jaar. *NRC Handelsblad* schrijft: 'Doping, zeker?'

De atletiekwereld is verbijsterd. De officiële doodsoorzaak wordt niet bekendgemaakt. Het gaat om een hartstilstand of een hersenbloeding. In 1996, twee jaar eerder, had ze al eens een lichte beroerte gehad. 'Flo Jo' was ook astmapatiënt. Haar dood is een tragedie die waarschijnlijk nooit helemaal opgehelderd zal worden.

Vier jaar eerder stierf Wilma Rudolph, die andere koningin van de sprint, de voorgangster van Florence Griffith. Zij was de prinses van de Spelen in Rome in 1960. Ze liep als een hinde, een droom op spikes. Cassius Clay (Mohammad Ali) werd verliefd op haar, maar zij ging niet in op zijn avances. Ze liep in Stuttgart in 1961 een nieuw wereldrecord op de 100 meter: 11,2 seconde. Het wereldrecord op de 200 meter stond al op haar naam. De 'zwarte gazelle' werd ze genoemd. Ze werd twee keer uitgeroepen tot 's werelds beste atlete van het jaar. In 1962 nam ze afscheid. In 1974 kreeg ze haar plaats in de Hall of Fame. Ze werd goodwillambassadrice van de Verenigde Staten en schreef een autobiografie. Haar grote ambitie was kinderen te helpen die onder de armoedegrens leven. Maar Wilma Rudolph werd ongeneeslijk ziek en ze stierf op zaterdag 12 november 1994, slechts vierenvijftig jaar oud. En weer werd de vraag gesteld: hoe gezond is topsport als de beste sprintsters die de wereld gekend heeft zo jong moeten sterven?

In dit verband kan ook het voorbeeld van twee topwielrensters worden aangehaald.

De Engelse Beryl Burton was de beste wielrenster van haar generatie. Wereldkampioene op de weg in 1960 in het Oost-Duitse Leipzig en in 1967 in het Nederlandse Heerlen. En wereldkampioene in de achtervolging op de baan in 1959 in Roucourt bij Luik, in 1960 in Leipzig, in 1962 in Milaan, in 1963 in Roucourt en in 1966 in Frankfurt. Beryl Burton gaat in juli 1997 in Morley een eindje fietsen en valt zomaar dood van haar fiets. Ze is dan negenenvijftig jaar. Er is in Morley nu een parkje naar haar genoemd. Maar het mysterie van haar plotselinge dood heeft Beryl in haar graf meegenomen.

Haar befaamde voorgangster heet Elsy Jacobs. Deze Luxemburgse verovert de wereldtitel in 1958 en in zevenentwintig seizoenen wint ze liefst driehonderd wedstrijden. Ze rijdt bovendien een nieuw wereldduurrecord. Elsy verhuist naar Guémené-sur-Scorff in Frankrijk en neemt de Franse nationaliteit aan. Op 1 maart 1998 is ze plotseling dood. Ze wordt slechts drieënzestig jaar. En weer kan de vraag gesteld worden: hoe gezond of ongezond is topsport?

Schrijnend is de dood van de Duitse atlete Birgit Dressel. Als op 10 april 1987 de nacht valt over Mainz ligt zij in doodsstrijd. Haar gekwelde lichaam wil niet meer. Twintig doktoren hebben voor haar leven gevochten.

Ze studeert sinds 1980 aan de universiteit van Mainz. Ze wordt atlete, straalt optimisme uit en ze is zéér ambitieus. Haar grenzeloze ambitie leidt naar de afgrond. In betrekkelijk korte tijd klimt Birgit van de 33e plaats op de wereldranglijst van de zevenkamp naar de 6e. Haar verloofde, de voormalige tienkamper Thomas Kohlbacher, is getuige van Birgits ondergang. 'Dr. Armin Klümper van de universiteit in Heidelberg schreef haar veel te veel pillen voor.' Binnen achttien maanden ongeveer zeshonderd injecties, zo blijkt uit een rapport van het openbaar ministerie in Mainz. Het waren 'Klümper-cocktails', voornamelijk bestaande uit extracten van planten en aminozuren. Op aanwijzing van Klümper slikte Birgit voor elke maaltijd twintig verschillende soorten pillen. Om sneller te kunnen sprinten kreeg ze injecties in de bovenbenen: onder andere calcium en zeealgen. Birgit nam honderden pillen om een wereldster te worden. Op een dag kwam er per post een

49

pakje en daarin zat volgens Kohlbacher het dopingmiddel Stromba. 'Birgit vertelde mij dat ze Stromba zou proberen, maar ze kreeg er pukkels van en is ermee gestopt,' aldus Kohlbacher.

Het weekblad *Der Spiegel* publiceert later de producten die Birgit Dressel genomen heeft: Vitasprint, Benadryl, Dona, Rhino Pront, Vomex A, Transquase-5, NeyNormin, Myogit 50, Kupferrororat, Brachiapas, Dolo-Phlogase, Decadron-Phospat, Impletol, Trental 400, Myo-Melcain, Pascossan, Engystol, Sensiotin, Macalvit, Buscopan, Bastrim, Voltaren, Cetaglandol, Pastan, Optipyrin, Actovegin, Cefarheumin, Argun L, Discus, Neybran, Laevadosin, Entereocura, Bidocef, Celeston Depot, Cerkolit, Diane-35, Omnipaque-300, Baralgin, Tromcardin, Xyser, Stromba, Ney-Chondrin, Codipront, Arthrose-K, Omepa, Procainum, Argun 300, Neydop-Trophen en Echinacin.

Op woensdag 8 april 1987 schreeuwt Birgit Dressel het tijdens het kogelstoten plotseling uit van de pijn. Twee dagen later is ze dood. Birgit is pas zesentwintig jaar als haar smartelijke einde komt. Van de artsen die haar deze onverantwoordelijke vloedgolf aan chemische producten lieten slikken, is nooit iemand vervolgd.

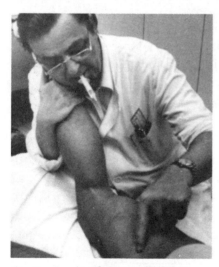 

Doctor Armin Klümper, die Birgit Dressel honderden zogenoemde 'Klümper-cocktails' gaf. Volgens het openbaar ministerie in Mainz sloopte de doctor daarmee haar weerstandsvermogen.

Birgit Dressel en haar verloofde en trainer Thomas Kohlbacher. Ze was pas zesentwintig jaar toen ze stierf.

9. De geschiedenis van doping

Het is 1609 als de in Nederlandse dienst varende kapitein Henry Hudson de later naar hem vernoemde rivier de Hudson op vaart en als tweede Europeaan met zijn schip afmeert in de haven van het huidige New York. Om zijn opdrachtgevers een plezier te doen geeft hij het hele gebied de naam Nieuw Nederland. Vijf jaar later wordt er de eerste Hollandse nederzetting gevestigd: Fort Nassau. In 1624 gaat de eerste paal in de grond voor Fort Oranje. Het is de start voor de kolonisatie van het gebied, dat vandaag bekend is als Manhattan.

In 1626 koopt gouverneur Peter Minuit Manhattan van de indianen voor een tegenwaarde van f 60,- aan snuisterijen. Hij bouwt in twee jaar Fort Amsterdam, waar zich tweehonderdzeventig Hollanders vestigen. Door slecht bestuur en door de oorlog tegen de indianen groeit de stad maar langzaam. In 1656 staan er honderdtwintig huizen en wonen er ongeveer duizend mensen, voornamelijk Hollanders.

Acht jaar later valt de Engelse kolonel Richard Nicholls in opdracht van de hertog van York met zijn troepen de stad binnen en herdoopt Nieuw Amsterdam in New York. Het maakt voor de Hollanders niet veel verschil. Ze werken dag en nacht om te overleven en een toekomst in de Nieuwe Wereld op te bouwen.

Het is een hard bestaan in die dagen. Om hun uithoudingsvermogen te vergroten en hun vermoeidheid te verjagen eten de Hollanders een saus waarvan ze het recept van de indianen hebben gekregen. Deze saus wordt volgens de overlevering onder meer gemaakt van buskruit. Ze noemen de saus 'doop', West-Fries voor saus. Engelsen spreken over 'dope'. In de dikke saus worden brokken brood en ander voedsel gedrenkt. De Hollanders in het toekomstige Manhattan weten wel raad met 'doop', dat de hartslag versnelt en stimuleert tot buitengewone prestaties. De gevolgen zijn voor het kolonisatiegebied echter bijna catastrofaal. In korte tijd vallen zoveel doden dat de Engelse bewindvoerders zich in 1666 genoodzaakt zien de eerste antidopingwet in te voeren.

Doping is dus van alle tijden.

De vanwege hun uitzonderlijke cultuur geprezen Inca's ontdekten al heel vroeg de bijzondere werking van de *Erythroxylon Coca*, een struik waarvan de bladeren een sap opleveren dat gebruikt wordt voor plaatselijke verdoving bij operaties én als genotmiddel. De Inca's beschouwen de struik, die groeit op de hellingen van de Andes, als een geschenk van de zonnegod Capac. Ze cultiveren de struik en zorgen voor verspreiding in Zuid- en Latijns-Amerika. Pas in 1859 wordt officieel vastgesteld dat coca vermoeidheid bestrijdt, de menselijke spierkracht en geest stimuleert en de potentie verhoogt.

De Duitser Albert Niemann slaagt er rond 1860 in om uit coca cocaïne te maken. Een in 1865 door een Corsicaan ontwikkelde mix van wijn en cocaïne vindt gretig aftrek bij de Spaanse, Noorse, Griekse en Zweedse koningshuizen, bij de Engelse koningin Victoria, de Russische tsaar, de Amerikaanse president William McKinley en zelfs bij paus Leo XIII, die de Corsicaan een persoonlijke brief schrijft en hem de status 'weldoener der mensheid' geeft. Beroemde schrijvers als Jules Verne, Hendrik Ibsen, H.G. Wells, Emile Zola en James Joyce bekeren zich tot cocaïne. Sigmund Freud, de wereldberoemde Oostenrijkse psychiater, wordt de grootste propagandist van cocaïne als geneesmiddel tegen depressies en lusteloosheid. De medische tuchtraad in Wenen beschuldigt daarop Freud ervan dat hij de mensheid, na alcohol en opium, wil opschepen met de derde plaag: cocaïne.

De aantrekkingskracht van cocaïne is nimmer getaand. Het aantal beroemde gebruikers is groot. Ze worden gedreven door de wens nog intenser van het leven te kunnen genieten, nog helderder te kunnen denken, over een groter uithoudingsvermogen te beschikken, creatiever te zijn en zich prettiger te voelen.

De geestelijke vader van de beroemde detective Sherlock Holmes, sir Arthur Conan Doyle, was gebruiker, en ook Hermann Goering, chef van de luchtmacht van de nazi's. Goerings verslaving kwam hem op veertig kilo gewichtsverlies te staan.

In de Tweede Wereldoorlog vlogen behalve Engelse RAF-piloten ook de Japanse zogenaamde kamikazepiloten op doping. Ze kregen Pervitine, Stimul, Ritaline, Captagon en Reactivan, middelen die stimulerend werken op het zenuwstelsel en gevoelens van angst en vermoeidheid verminderen.

In het Japanse leger werden amfetaminen in hoge doses gebruikt, zodat het land na de oorlog met vele verslaafden kampte en het aantal zelfmoorden een tijdlang hoger lag dan elders in de wereld.

Naast cocaïne werd heroïne populair. Heroïne, gemaakt uit morfine, is zeer verslavend. De jazz-giganten Charlie Parker en Stan Getz, de blueszangeres Billie Holiday en de schrijver William Burroughs raakten aan heroïne verslaafd. Diverse artiesten stierven aan een overdosis.

Het middel LSD, dat een sterk hallucinerende werking heeft, werd gebruikt door de filmacteur Cary Grant.

Opium had ook bekende gebruikers, zoals de schrijvers Edgar Allan Poe en Charles Dickens en de Franse schrijver-filmer Jean Cocteau.

Niet alleen in de sport, maar in alle delen van de samenleving worden dus drugs gebruikt.

Het is 30 augustus 1904 als in het stadion bij de George Washington Universiteit in St. Louis voor eenendertig atleten uit slechts vier landen het startschot wordt gegeven voor de Olympische marathon. De Olympische Spelen vormen dat jaar een aanhangsel van de Wereldtentoonstelling ter gelegenheid van de honderdste verjaardag van Louisiana. De deelname aan de Spelen is teleurstellend: slechts 625 atleten, onder wie 533 uit de Verenigde Staten, meldden zich. Het is dus min of meer een Amerikaans kampioenschap.

De marathon zou een van de grootste schandalen uit de Olympische geschiedenis opleveren. Direct na de start nam de Amerikaan Fred Lorz de leiding. Hij verliet als eerste het stadion en was ook de eerste die er terugkeerde. Hij was nog zo fris dat er argwaan ontstond. Onderzoek bracht al snel aan het licht dat Lorz, nadat hij de strijd halverwege met krampen had moeten staken, een deel van de afstand als lifter per auto had afgelegd. Op 6 kilometer van het stadion begaf de auto het echter en Lorz zette de tocht weer lopend voort. Hij liep het stadion binnen en daar onthaalde het nietsvermoedende publiek hem op een ovationeel applaus. Nadat Lorz was ontmaskerd werd hij levenslang geschorst.

Na de diskwalificatie van Lorz werd Thomas Hicks tot winnaar van de marathon uitgeroepen. En Hicks valt de twijfelachtige eer te beurt de eerste dopinggebruiker in de Olympische geschiedenis te zijn. Na 30 kilometer kreeg hij problemen en wilde opgeven. Zijn verzorgers schoten toe en zetten Hicks een fles aan de mond die gevuld was met een mengsel van brandy en strychnine. Hicks kikkerde op en liep, volgens ooggetuigen, in een roes naar de finish.

Strychnine was in die dagen een veel gebruikt pepmiddel. In hoge doseringen is het dodelijk, maar in beperkte doseringen prikkelt strychnine het centrale zenuwstelsel. Het middel werd in de Middeleeuwen gebruikt om mensen te vergiftigen en tegenwoordig wordt het in sommige landen toegepast bij de bestrijding van schadelijke diersoorten.

De eerste dode door doping werd in 1896 geregistreerd. Het gebeurde in de oertijd van de wielersport. De tijd van de marathontochten over onverharde, hobbelige wegen vol verraderlijke kuilen en gaten. De Franse ingenieur Gaston Rivière was in die dagen zeer populair. Hij debuteerde pas op eenendertigjarige leeftijd in de wielersport, maar toonde zich al snel de absolute heerser in de langeafstandritten. In 1894 won hij Parijs-Lyon-Parijs over 1049 kilometer.

Rivière is in 1896 de grote favoriet in de monsterrit Bordeaux-Parijs, die veel later drie keer werd gewonnen door onze landgenoot Wim van Est.

Uit Wales komt een trio jonge Britten over om de strijd met Rivière aan te binden. Het zijn de broers Arthur, Tom en Jimmy Linton. Het drietal wordt begeleid door hun streekgenoot Choppy Warbuton, eigenaar van een rijwielfabriek. De brutale Arthur Linton daagt Rivière meteen na de start al uit tot een duel. Na 450 kilometer in de omgeving van Orleans lijkt hij de tol te moeten betalen voor zijn overmoed. Uitgeput rijdt hij zigzaggend over de weg. Hij stapt af, rust een tijdje en vraagt Choppy Warbuton hem weer in het zadel te helpen.

In Suresnes dendert Linton de favoriet Rivière als herboren voorbij. Vlak voor de finish slaat hij nog een verkeerde weg in, waardoor hij 1500 meter moet omrijden, maar geen nood. Als in een roes passeert Arthur Linton als eerste de finish. Hij is dan volkomen uitgeput en valt van zijn fiets. Arthur Linton wordt overgebracht naar zijn woonplaats Aberdare in Wales, waar hij enkele weken later overlijdt.

Zijn broer Jimmy, ook een pupil van Choppy Warbuton, wordt wereldkampioen bij de stayers, maar overlijdt reeds op zevenentwintigjarige leeftijd. Tom, de derde Linton, wordt ook niet oud. Hij sterft als hij negenendertig jaar is aan een hartaanval.

Dopingaffaires lopen sinds 1900 als een rode draad door de sportgeschiedenis. De lijst met schandalen is bijna eindeloos.

In 1923 bevestigen de beroemde Franse wielerbroers Henri en Francis Pelissier in het openbaar dat ze de Tour de France en belangrijke klassiekers op doping rijden. Francis Pelissier, drievoudig kampioen van Frankrijk, zegt tegen journalisten: 'Het is Tourorganisator Henri Desgrange die ons tot dopinggebruik dwingt. We moeten wel stimulerende middelen nemen, anders halen we de finish niet.'

Een van de eerste doden in de wielersport, de Brit Arthur Linton. Hij won, zwaar gedopeerd, in 1896 de monsterrit Bordeaux-Parijs, maar betaalde de overwinning met zijn leven.

In 1954 krijgen de spelers van de nationale Duitse voetbalploeg, die in Zwitserland de wereldtitel behaalt, collectief een aanval van geelzucht. De arts van de Duitse voetbalbond geeft als verklaring: '... overmatig gebruik van vitamine A'. In het Wankdorf-stadion in Bern, waar de finale wordt gespeeld, wordt openlijk over doping-gebruik gesproken. Bewezen wordt er nooit iets, maar een aantal spelers van het Duitse team dat de wereldtitel behaalde, wordt niet oud.

In 1955 valt tijdens de Tour de France op de flanken van de Mont Ventoux de Fransman Jean Mallejac in de verzengende hit-te bewusteloos van zijn fiets. De toegesnelde Tour-arts constateert dat Mallejac gedrogeerd is. Mallejac wordt afgevoerd naar een zie-kenhuis en vecht urenlang voor zijn leven. Mallejac haalt het.

In 1956 verklaart de Franse profbokser Cohen dat hij in zijn partij tegen Songkirat uit Siam door zijn verzorger Bobby Diamant gedrogeerd werd. 'Twee ronden voor het einde zag ik het niet meer zitten. Bobby gaf mij een flesje en zei: "Drink! Het is een opwek-kend middel." Ik won de partij en werd wereldkampioen, maar ik weet niet meer hoe ik in de kleedkamer ben gekomen.'

In 1957 prijst de beroemde voetbalcoach Matt Busby van Man-chester United openlijk de werking van benzedrine. Busby ver-plichtte zijn spelers niet benzedrine te nemen, maar in het seizoen 1957-'58 speelden zes van de elf spelers van Manchester United, onder wie Duncan Edwards (in 1957 Engels voetballer van het jaar), gedrogeerd het Europacup-duel tegen Dukla Praag.

In 1959 neemt de Franse douane bij de grens met Zwitserland prestatiebevorderende pillen in beslag die bestemd waren voor de Luxemburgse Tour-winnaar Charly Gaul.

In 1961 wordt het Italiaanse profvoetbal opgeschrikt door een dopingschandaal. Controles wijzen uit dat een kwart van de voet-ballers in de serie A, de hoogste klasse, en 10 procent van de spe-lers in de serie B, wekaminen gebruikt. Zestig van de honderd spe-lers gebruiken stimulerende middelen.

In 1962 raakt de Spaanse arts Vidal Saval, verbonden aan de tennisclub van Barcelona, in opspraak als hij trots meedeelt dat hij de Spaanse tennisvedette Andres Gimeno voor de belangrijke Da-vis Cup-wedstrijd tegen Groot-Brittannië een forse dosis testoste-ron heeft ingespoten. Dokter Saval verdedigt zijn handelwijze als volgt: 'Alleen als je je tegenstander met dezelfde middelen be-strijdt, kun je winnen.' Het Spaanse team wint inderdaad.

In 1964 worden vijf spelers van de Italiaanse voetbalclub Bologna betrapt op het gebruik van stimulerende middelen. Bologna moet drie punten inleveren. Later worden die punten door de Italiaanse bond weer teruggegeven. Bologna wordt dat jaar kampioen van Italië.

In 1966 vindt de eerste dopingcontrole in de Tour de France plaats, vijf renners zijn positief.

In 1967 verbetert de Fransman Jacques Anquetil op de Vigorelli-baan in Milaan het wereldduurrecord. Na afloop rust Anquetil uit in een somber betonnen hok van drie bij drie meter dat geheel gevuld is met journalisten. Een keurige man in een witte regenjas meldt zich en verzoekt Anquetil mee te gaan voor de dopingcontrole. Raphael Geminiani, ploegleider van Anquetil, wordt woedend, grijpt de Italiaanse arts bij zijn revers en werkt hem het hok uit. Het wereldduurrecord van Anquetil wordt daardoor nooit erkend. Geminiani wordt door de UCI geschorst en is ploegleider af. In 1999, tweeëntwintig jaar later, legt Geminiani bij een Franse rechtbank een schadeclaim van miljoenen neer tegen de UCI, omdat de wielerbond zijn carrière zou hebben gebroken.

Roger Rivière, wiens uurrecord door Anquetil was verbeterd, verklaart in ruil voor 80.000 francs in een Frans boulevardblad dat hij zijn wereldduurrecord in 1959 vestigde onder invloed van stimulerende middelen. Rivière: 'Vijf minuten voor mijn recordpoging kreeg ik van mijn verzorger een zware injectie amfetamine en Salukamfer. Voor onderweg kreeg ik nog vijf tabletten mee, omdat de spuit maar veertig minuten zou werken.'

Op 13 juli 1967 sterft de Britse wielrenner Tom Simpson op de flanken van de Mont Ventoux aan een hartstilstand. Oorzaak is een fatale combinatie van verzengende hitte, loodzware inspanningen, alcohol en dopinggebruik.

Achttien dagen na Simpsons dood sterft in Spanje de profwielrenner Valentin Uronia. Hij komt in het Spaans wegkampioenschap op 4 kilometer voor de finish ten val. Bij autopsie op het lichaam worden in het lichaam sporen van stimulerende middelen gevonden.

Op 2 juni 1969 ontploft in de Ronde van Italië een bom: 's werelds beste wielrenner aller tijden, Eddy Merckx, wordt in Savona na afloop van een dopingcontrole positief verklaard. In de roze trui gehuld moet Merckx de wedstrijd verlaten. De affaire-Merckx wekt internationaal beroering. Zelfs het Belgische koningshuis bemoeit zich ermee. Merckx, die bij hoog en bij laag ontkent verkeerde producten genomen te hebben, neemt ruim een maand later wraak door als eerste Belg na dertig jaar met enorme overmacht de Tour de France te winnen.

De Nederlandse professional Gerben Karstens wint in 1969 de Ronde van Lombardije. Na afloop levert hij in het stadion van Como een plas in; die is positief. De zege wordt Karstens ontnomen. Nadien heeft ploegleider Kees Pellenaars het gerucht in omloop gebracht dat Karstens de urine van chauffeur Jan Leys zou hebben ingeleverd, en Leys zou enkele pilletjes hebben genomen om zijn busje over de bergen terug naar Nederland te brengen.

In 1972, na afloop van de wedstrijd NEC-Ajax, geeft clubarts John Rolink van Ajax toe dat als er een dopingcontrole zou worden gehouden enkele Ajacieden positief zouden zijn. Rolink maakt er geen geheim van dat hij middenvelder Johan Neeskens, zwaar geblesseerd aan een dijbeen, met verboden middelen heeft behandeld om hem toch speelklaar te krijgen.

'Normaal had Neeskens niet kunnen spelen,' aldus dokter Rolink. 'Ik zie niet in waarom ik dan geen maatregelen mag nemen om hem toch beschikbaar te krijgen, Laten wij alsjeblieft de resultaten van de medische wetenschap gebruiken in de sport. Het kan geen kwaad, zolang het met gezond verstand gebeurt.' Later onthult de bekende chirurg prof.dr. Co Greep, die zich enige tijd om de medische problemen van Ajax bekommerde, dat Johan Neeskens last had van hartritmestoornissen.

In 1973 onthult Ajacied Barry Hulshoff in *Vrij Nederland* dat de spelers van Ajax in het seizoen 1967-'68 voor de uitwedstrijd tegen Real Madrid voor de Europacup 1 een wit pilletje hebben moeten innemen.

Hulshoff: 'Wij slikten het pilletje in combinatie met wat wij altijd hagelslag noemden. Wat het precies was, weet ik niet, maar je voelde je ijzersterk en aan lucht had je geen gebrek. Een nadeel was dat je al je speeksel kwijtraakte. Daardoor kreeg ik na vijfendertig minuten braakneigingen.'

In 1976 maakt de diskwalificatie van de Russische skiloopster Galina Kulakova bij de Olympische Winterspelen in Innsbruck veel protest los. De Russin had een neusspray gebruikt om een opkomende griep te bestrijden. In de spray zaten stoffen die op de dopinglijst voorkwamen. Kulakova raakte haar bronzen medaille kwijt.

De ijshockeyploeg van Tsjechië ziet een 7-1 overwinning op Polen omgezet in een 1-0 nederlaag omdat sterspeler Posposil codeïne gebruikt heeft.

In 1978 wint de Belg Michel Pollentier de prestigieuze Touretappe op Alpe d'Huez. Pollentier pakt de gele trui, maar hij wordt naar huis gestuurd omdat hij bij de dopingcontrole probeert te frauderen. Onder zijn kleren heeft hij een condoom met schone urine gestopt, die hij via een slangetje in de buisjes voor de controle wil laten lopen. Pollentier wordt betrapt en Hinault wint zijn eerste Tour.

In 1979 is Joop Zoetemelk tijdens de Tour de France positief. Er worden sporen van anabolica in zijn urine aangetroffen. Joop heeft omdat hij sterk vermagerd was van zijn huisarts een spuit gekregen om zijn tekorten aan te vullen.

In 1980 vertelt Freddy Maertens aan de Italiaanse krant *Tutto Sport* dat zijn ploegmakker Michel Pollentier in 1977 de Ronde van Italië heeft gewonnen met hulp van het verboden product Stimul. 'In onze ploeg namen wij allemaal Stimul,' zegt Maertens.

In 1980 blijkt de Belgische Europees kampioen verspringen, Ronald Desruelles, dianavit te hebben genomen. De dokter van Desruelles neemt de schuld op zich. Hij dacht dat het middel niet opgespoord kon worden.

In 1980 wordt de Duitser Didi Thurau na zijn derde positieve controle in het seizoen uit de Tour de France gezet.

In 1982 wordt de winnaar van de Ronde van Spanje, Angel Arroyo, wegens dopinggebruik gediskwalificeerd.

In 1983 wordt in de Verenigde Staten een grootscheepse jacht aangekondigd op druggebruikers in het Amerikaanse profbasketbal. Van de spelers zou 75 procent cocaïne snuiven.

In 1984 moet de Finse atleet Martti Vaino, die zilver won op de 10 000 meter, zijn medaille teruggeven. In zijn urine is primobolan gevonden. Primobolan vergroot de zuurstofopname in het bloed.

In 1985 wordt de profwielrenner Paul Wellens na het Belgisch kampioenschap in Halanzy betrapt op fraude bij de dopingcontrole.

In 1986 worden discuswerper Rick Meyer, speerwerper Tom Jadwin en kogelstoter Darren Crawford door de Amerikaanse atletiekfederatie levenslang geschorst wegens dopinggebruik. Olympisch kampioen biathlon Peter Angerer blijkt testosteron te hebben gebruikt.

In 1986 treft een schandaal de Belgische drafsport: aan vijf top-paarden is theobrome toegediend.

In 1986 wordt ook de Poolse atleet Antoni Niemczak, tweede in de marathon van New York, wegens dopinggebruik gediskwalifi-ceerd.

In 1987 verklaart de sterspeler van Real Madrid, Juanito, in een Spaanse krant dat dopinggebruik in het Spaanse profvoetbal sche-ring en inslag is. Een enquête onder 360 spelers in de hoogste voetbalklasse bevestigt Juanito's bewering.

In 1987 blijkt het beroemde paard Deister van Paul Schoc-kemöhle de Grote Prijs van Brussel te hebben gereden met hulp van verboden producten.

In september 1987 wordt Jeannie Longo – thans tweeënveertig jaar en nog actief, en met een Olympische wegtitel in Atlanta en elf individuele wereldtitels op weg en baan de grote dame van het da-meswielrennen – positief verklaard in Colorado in de Verenigde Staten. Ze heeft volgens een laboratoriumtest efedrine gebruikt en wordt in januari 1988 een maand geschorst.

Laurent Fignon, tweevoudig Tour-winnaar, neemt op 28 juli 1987 deel aan de Grote Bevrijdingsprijs in Eindhoven. Bij de do-pingcontrole blijkt hij amfetaminen gebruikt te hebben. In een re-actie op de affaire-Fignon zegt de Franse staatssecretaris voor Sport- en Jeugdzaken Roger Bambuck, voormalig wereldrecord-houder op de 100 meter: 'Die arme jongen.'

Op 9 februari 1988 verlaat de bekende Duitse profwielrenner Didi Thurau op de laatste dag van de zesdaagse van Parijs de piste om spoorslags naar Duitsland af te reizen. Thurau moet daar voor het gerecht getuigen omdat hij in een boekje van een handelaar in amfetaminen blijkt te staan.

In juli 1988 wordt bij Gert-Jan Theunisse een te hoog testoste-rongehalte gevonden.

Begin oktober 1988 controleren ambtenaren van de Vlaamse Gemeenschap de renners in de zesdaagse van Antwerpen. In de urine van de grote Belgische vedette Etienne de Wilde worden spo-ren van neo-testosteron gevonden. Op 2 januari 1989 wordt De Wilde door de correctionele rechtbank van Antwerpen veroordeeld tot een voorwaardelijke gevangenisstraf van een maand en een geldboete van *f* 330,-. De Wilde gaat in cassatie. Het Hof van Be-roep in Gent veroordeelt De Wilde opnieuw.

Op 15 november 1989 wordt Jacques van Rossum uit Nijmegen

geschorst als hoogleraar aan de Rijksuniversiteit Utrecht. Van Rossum heeft inkomsten uit dopingonderzoeken op een afzonderlijke rekening laten storten en weigert hierover uitleg te geven. Van Rossum: 'Het lab staat op mijn naam, ik ben verantwoordelijk, dus ook voor de geldstromen.' De ruzie leidt ertoe dat het officieel en internationaal geaccrediteerde dopinglaboratorium in Utrecht zijn licentie kwijtraakt, waardoor voortaan de Nederlandse urinestalen voor dopinganalyses naar het laboratorium van prof. Manfred Donike in Keulen gaan.

Op 30 december 1989 wordt de wielerprof Philippe Boyer op de autoweg A1 Parijs-Lille ter hoogte van Arras aangehouden door douaniers. In de kofferruimte van zijn auto ontdekken de douaniers flessen Dinitel, een amfetamineproduct, tien flacons amfetaminecocktails en anabole steroïden, gemengd met een maskeringsproduct om de dopingcontroles te ontduiken. Aldus het gerechtelijk laboratorium in Lyon.

Op 24 februari 1990 zegt de Vlaamse-Gemeenschapsminister van Volksgezondheid Hugo Weckx in een toelichting op de dopingresultaten van 1989 in België: 'Van de 1543 controles in drieënveertig sportdisciplines waren er 65 positief. Drie keer werd fraude gepleegd. In percentages was in 1989 4,2 procent positief tegen 6 procent in 1988. Amfetaminegebruik nam toe, hormonengebruik zakte van 30 naar 16 procent. Wielrennen blijft probleemsport nummer één.'

In april 1990 is Gert-Jan Theunisse positief na afloop van de Waalse Pijl. Zijn testosterongehalte is te hoog. In juni 1990 wordt bij Theunisse in de Ronde van Eibar in het Spaanse Baskenland opnieuw een te hoog testosteronniveau vastgesteld. Hij krijgt zes maanden schorsing.

De winnaar van de Ronde van België, de Brit Sean Yates, is na de etappe met finish in Verviers positief op nortestosteron.

De Zwitser Urs Freuler is positief tijdens de zesdaagse van München. Op 9 juli 1991 is Freuler voor de tweede keer positief tijdens de Coca Cola-Trophee in het Duitse Reutlingen. Hij heeft een te hoge testosteronspiegel. Freuler heeft zich vrijwillig voor de controle gemeld omdat Markus Hess, die was aangewezen om de dopingproef te ondergaan, zich wegens de operatieve verwijdering van een kies mocht terugtrekken. Freuler, tienvoudig wereldkampioen op de baan (acht keer puntenkoers, twee keer keirin) krijgt een schorsing van zes maanden.

In 1991 probeert veldrijder en ex-wereldkampioen Danny de Bie volgens de controlerende arts bij de dopingcontrole in Zillebeke te frauderen. De Bie zou volgens de dokter een condoom onder zijn trui hebben verborgen. De Bie reist af naar het wereldkampioenschap in Gieten, maar wordt uit de Belgische ploeg gezet en mag niet starten.

In juli 1991 verdwijnt de complete PDM-ploeg uit de Tour de France nadat ploegarts Wim Sanders bedorven intralipid heeft ingespoten.

In 1992 valt de Belgische prof Ludo de Keulenaer door de mand bij de dopingcontrole na afloop van de E-3 Prijs in Harelbeke. De Keulenaer, 36e in de uitslag, maar veel op kop gereden en daardoor 'geloot' voor de controle, probeert te frauderen. Zijn reserveflesje valt op de grond. De Nederlandse ploeg Buckler ontslaat hem op staande voet. De Keulenaer ontkent niet.

Op woensdag 24 januari 1992 meldt zich in Stellenbosch een Zuid-Afrikaanse vrouwelijke arts in het trainingskamp van de Duitse atlete Katrin Krabbe, wereldkampioen sprint op de 100 en 200 meter. Het gaat om een *out of competition*-controle. Bij de tweeduizend dopingcontroles die in 1991 in Duitsland werden gehouden, had professor Manfred Donike, de met de controles belaste biochemicus uit Keulen, vooral uit Neubrandenburg, de thuishaven van de Krabbe-clan en van hun trainer Thomas Springstein, urinestalen ontvangen die ernstige afwijkingen vertoonden. De urine was volgens Donike 'verwaterd' en 'verdund'. Sindsdien werd de Krabbe-clan over de hele wereld gevolgd voor controles buiten de competitie. Eerst op de Bahama's en toen in San Diego, maar daar verbleef Krabbe niet op de opgegeven adressen.

In Stellenbosch in Zuid-Afrika is het wél raak. De urine van Krabbe en haar clubgenoten Silke Moeller en Grit Breuer wordt door de Zuid-Afrikaanse arts en door doping-controll-officer Chris Hattingh meegenomen. De urine blijkt positief. Vier jaar na de ontmaskering van Ben Johnson in Seoul wordt de internationale atletiekwereld opnieuw hard getroffen. Katrin Krabbe wordt voor vier jaar geschorst. Op zaterdag 15 februari 1992 komt een einde aan haar glanzende loopbaan, die haar minimaal een miljoen gulden per jaar opleverde.

De urine van de drie atleten die in Stellenbosch werd afgenomen was van een en dezelfde persoon en dus vervalst. Ze kwam volgens het blad *Der Spiegel* uit 'urine-depots' waarmee de atletes uit Neubrandenburg al langer de controles omzeilden. Krabbe, Breuer en Moeller hadden volgens *Der Spiegel* kennelijk zogenaamde vaginabags. Door met een nagel het condoom te openen, kon schone urine worden afgegeven.

In 1993 staat Edward Kuyper met kampioen Henk Baars en de nummer 2 Adrie van der Poel op het podium van het nationaal kampioenschap veldrijden in de Beekse Bergen bij Tilburg. Maar Kuyper heeft een multi-vitaminepil genomen die prolitan bevatte, een verboden stof. Hij wordt gediskwalificeerd.

De Italiaan Federico Ghiotto wordt voor twee jaar geschorst omdat hij op 28 februari 1993 in Valencia, nadat hij de laatste etappe van de Ronde van Valencia heeft gewonnen, positief wordt bevonden op cafeïne. In de Ronde van Sicilie van 1990 werd bij Ghiotto in Palermo al nandrolon in zijn urine gevonden.

In de Amstel Gold Race van 1993 is de Fransman Pascal Lino, in 1992 vijfde in de Tour de France, positief. Hij krijgt zes maanden voorwaardelijke schorsing en een boete van ƒ 4500,-.

In april 1993 is Wilfried Nelissen, tweede achter Mario Cipollini in de Grote Scheldeprijs, positief.

In september 1993 wordt de Italiaanse wielerprof Alberto Volpi voor zes maanden geschorst omdat na afloop van de wereldbekerwedstrijd in Leeds gonadotropine in zijn urine wordt gevonden.

In april 1994 beschuldigt ex-wereldkampioen bij de amateurs, de Duitser Uwe Ampler, zijn ploeg Telekom ervan hem zonder dat hij het wist EPO te hebben toegediend. Ampler verliest de rechtszaak tegen Telekom.

Op 7 september 1994 wordt Miguel Indurain, dan al viervoudig Tour-winnaar, gezuiverd door 'la formation disciplinaire' van de Franse wielerbond. Indurain had in de Ronde van de Oise wegens een verkoudheid salbutamol (ventolin) genomen. Madame Michelle Alliot-Marie, de Franse minister van Sport en Jeugd, bevestigt dat ventolin, mits op medisch attest en niet gespoten, is toegestaan.

De correctionele rechtbank in Turnhout veroordeelt in 1994 Johan van der Velde, derde in de Tour de France, voor een tiental diefstallen en inbraken. Van der Velde is verslaafd aan amfetaminen, maar hij heeft zich nadien wonderbaarlijk teruggevochten en leidt nu weer een gewoon leven. Hij heeft zijn verslaving overwonnen.

Tweevoudig wereldkampioen Gianni Bugno blijkt in september 1994 na afloop van de Coppa Agostoni een te hoog cafeïnegehalte in zijn urine te hebben. Bugno wordt drie maanden geschorst. In dezelfde maand, tijdens de Ronde van Catalonië, is Abraham Olano ook positief op cafeïne.

Op woensdagavond 6 december 1995 beschuldigt Yvan Sonck in het BRTN-programma *Ter Zake* Belgische sportartsen. Ze zouden actief meewerken aan dopingpraktijken. De artsen geven antwoord.

Yvan van Mol (Mapei): 'Ik sta recht in mijn schoenen, het zijn roddels.'

Geert Leinders (ex-Panasonic, later Rabobank): 'Ik wens er geen aandacht aan te besteden, want tegen roddels kun je niets doen.'

Op 17 januari 1996 bekent Steven Rooks (35) in het *Sportjournaal* van de NOS dat hij na de Tour in de criteriums weleens pilletjes pakte omdat hij zo'n afkeer had van de rondjes om de kerk die hij moest rijden. 'Ik deed het niet om harder te fietsen, maar om geestelijk in evenwicht te blijven.'

In mei 1996 wordt Thomas Davy betrapt op het gebruik van nandrolon. De Fransman, ex-winnaar van de Tour de l'Avenir, wordt door Banesto ontslagen. In augustus 1996 wordt Davy voor drie maanden geschorst. Later, tijdens het zogenaamde Festina-proces in Lille in oktober 2000, neemt Davy wraak op Miguel Indurain, kopman van Banesto, door te suggereren dat Indurain mogelijk ook doping gebruikte. De Spanjaard ontkent dit in de Spaanse media meteen categorisch.

In februari en maart 1996 kampt een deel van het wielerpeloton met stoornissen in de bloedsomloop. Zeven renners, uitkomend voor Italiaanse ploegen, worden behandeld. Het zijn Minali (Gewiss), Ferrigato (Roslotto), Fontanelli (MG), Kappes (Refin), Schiavina (Carrera), Javier Mauleon en Miguel-Angel Pena (Mapei). Fontanelli blijkt op 27 april 1996 positief (waarop werd niet bekendgemaakt) nadat hij als vijfde eindigt in de Amstel Gold Race.

De Fransman Jean Philippe Dojwa van AKI heeft ook al last van z'n bloedvaten, hij wordt in Lyon geopereerd. De manager van AKI, de vroegere wielerkampioen Gianni Motta (53), verklaart: 'Er vallen binnen vijf jaar doden door EPO.'

In Frankrijk worden in 1996 Jacky Durand, Thierry Laurent, Philippe Gaumont, Patrick Derique, Laurent Desbiens en Thierry Marie betrapt op het gebruik van nandrolon. Ze krijgen schorsingen van zes tot acht maanden. De Parijse arts Patrick Nedelec, van 1982 tot 1994 dopingcontroleur in de Tour de France, wordt er door de renners van beschuldigd dat hij nandrolon heeft voorgeschreven.

De Franse wielertop – Daniel Baal (voorzitter federatie), Jean-Marie Leblanc (directeur Tour de France) en Roger Legeay (voorzitter Franse profsectie) – waarschuwt in een open brief ('Le cri d'alarme') de Franse minister van Sport Guy Drut dat hij strengere maatregelen moet nemen tegen dopinggebruik. 'Bepaalde middelen kunnen de gezondheid ernstig schaden.' Er moet volgens de Franse wielertop meer haast worden gemaakt met het opsporen van EPO en groeihormonen.

De Amsterdammer Michel Cornelisse wordt na afloop van het RAI-Derny-criterium positief verklaard op meth-amfetamine. Cornelisse wordt door TVM op staande voet ontslagen. Hij protesteert heftig en verklaart onschuldig te zijn.

In Spanje is Angel Casero van Banesto positief. Hij wordt betrapt bij een verrassingscontrole in opdracht van het Spaans Olympisch Comité in de Grote Prijs van Albendas. De gevonden verboden stof: nandrolon.

De Spaanse proftennisser Ignacio Truyol wordt in januari 1997 geschorst wegens doping. Hij moet f 66.000,- prijzengeld terugbetalen en verliest 192 ATP-punten.

In l'Equipe verklaart Gilles Delion, ex-winnaar van de Ronde van Lombardije en van de Tour-etappe in Valkenburg in 1992: 'Toen ik bij de profs debuteerde, zei mijn ploegleider dat ik nooit bij de eerste vijftig in de ranking zou komen als ik geen EPO gebruikte.'

In 1997 wordt de Europees kampioen veldlopen Iulia Negura (30) uit Roemenië voor vier jaar geschorst. Hij is positief tijdens een controle op 4 december 1996 in eigen land, en elf dagen later ook bij het Europees kampioenschap veldlopen. Het gevonden middel: stanozolol, hetzelfde product dat Ben Johnson tijdens de Olympische Spelen in Seoul gebruikte. Negura won in 1990 en 1991 de wereldtitel over 15 kilometer.

Andreas Kappes is tijdens de Duitse kampioenschappen op de baan in Cottbus in 1997 positief (waarop werd niet bekendgemaakt). Kappes won de puntenkoers.

In juli 1997 is de sprinter Djamolidine Abdoujaparov uit Oezbekistan de eerste positieve renner in de Tour de France sinds 1989. Bij hem worden sporen van clenbuterol en bromantan gevonden. Hij moet naar huis en zijn ploeg Lotto ontslaat hem.

In december 1997, driekwart jaar voordat het Festina-schandaal losbarst, beschuldigt de apotheker Kris Vanderstichel uit Lovendegem Festina-arts Rijckaert van het regelmatige afnemen van EPO.

In december 1997 doet de FIOD met zesentwintig ambtenaren een inval in de praktijk van de Geleense huisarts Wim Sanders. De ex-ploegarts van PDM (intralipid-affaire in de Tour van 1991) wordt in de pers hard aangepakt. Hij zou de spin zijn in een dopingnetwerk. Tot de vele cliënten van huisarts Sanders behoort onder andere Danny Nelissen, wereldkampioen bij de amateurs in Duitama Colombia. Omdat hij verneemt dat in verband met Sanders zijn naam genoemd wordt spant hij een kort geding aan tegen het regionale dagblad *De Limburger*. De rechter in Maastricht laat zijn naam verwijderen uit het lijstje dopingafhalers bij Sanders. Uiteindelijk loopt de affaire-Sanders met een sisser af.

In de herfst van 1997 zijn de Franse voetballers Cyrille Pouget (Paris SG), Dominique Arribagé (Toulouse), Antoine Sibierski (Auxerre) en Vincent Guérin (Paris SG) positief op nandrolon.

In 1998 ontstaat opschudding tijdens de wereldkampioenschappen zwemmen in Perth. Bij de Chinese zwemster Yuan Yuan worden op 7 januari 1998 bij haar aankomst op het vliegveld van Sydney dertien flesjes met groeihormonen gevonden. De Chinese valt camerateams aan die haar filmen en wordt door de politie afgevoerd. Yuan Yuan krijgt een schorsing voor vier jaar. De FINA, de wereldzwembond, voerde in 1997 in vijfendertig landen 820 dopingcontroles uit. Tijdens de wereldkampioenschappen zwemmen in Rome in 1997 wonnen de Chinese vrouwen twaalf van de zestien titels.

Op 8 juli 1998 wordt de Festina-verzorger Willy Voet bij de Belgisch-Franse grens aangehouden. De douane vindt in zijn auto 400 ampullen met verboden middelen, waaronder EPO. Dit is de start van het Festina-schandaal. Op 16 juli besluit Tour-directeur Jean-Marie Leblanc om de negen renners van Festina, onder wie kopman Richard Virenque, uit de Tour te verwijderen.

Tijdens de Tour van 1998 wordt bekend dat eerder in het jaar, op 4 maart, een auto van TVM door de douane is aangehouden. In de auto bevonden zich 104 ampullen EPO.

Op 24 juli 1998 worden ploegleider Cees Priem en ploegarts Andrei Michailov in staat van beschuldiging gesteld en aangehouden. Vier dagen later wordt ook TVM-verzorger Jan Moors gearresteerd. Cees Priem en Jan Moors verlaten op 10 augustus het Huis van Bewaring in Reims, maar mogen tot begin december Frankrijk niet uit. Op vrijdag 4 december krijgen ze hun paspoorten terug en zijn ze vrije mensen. Andrei Michailov mag op dezelfde dag de gevangenis verlaten na betaling van een borgsom.

Een week voor het Europees kampioenschap bobsleeën op 9 januari 1998 in Innsbruck onthult secretaris-generaal Ermano Gardella van de FIBT, de wereldbobsleebond, in Milaan dat twee bobsleeërs betrapt zijn op het gebruik van anabole steroïden en efedrine.

Uit onderzoek van de historicus Giselher Spitzer naar dopinggebruik in de DDR blijkt dat 10 000 sportlieden systematisch prestatiebevorderende middelen kregen toegediend.

In een televisie-interview met de Belgische journalist Hugo Camps zegt ex-wielerprof Eddy Planckaert zeven jaar na zijn carrière dat hij in 1991, het laatste jaar van zijn loopbaan, EPO heeft gebruikt. 'Een prachtmiddel,' aldus Planckaert. 'Als ik het eerder had gebruikt was ik nu schatrijk.' De bekentenis van Planckaert veroorzaakt veel opschudding. Tijdens zijn loopbaan kwam al aan het licht dat Planckaert zich in een Zwitserse kliniek in Clarens had laten inspuiten met eiwitten verkregen uit schapenfoetussen.

De Olympisch kampioene mountainbiken Paola Pezzo uit Italië nam in december 1997 in Annecy nandrolon. De contra-expertise in Parijs is ook positief, maar de zaak wordt geseponeerd wegens onvoldoende bewijs.

Op 11 januari 1998 is Daniele Pontoni, ex-wereldkampioen bij de veldrijders, positief op cocaïne. De controle vindt plaats na afloop van het Italiaans kampioenschap in Parabiago. Pontoni ontkent en vraagt DNA-onderzoek en een haartest. 'De urine is van iemand anders, ik ben minstens vijftig keer negatief geweest.'

Op 7 september 2000 doet de Australische douane vlak voor de Olympische Spelen in Sydney een vondst. Bij de delegatie uit Oezbekistan worden op het vliegveld groeihormonen in beslag genomen.

Na een positieve dopingtest blijven de Canadese hamerslingeraarster Robin Lyons en de Canadese ruiter Victor Lachance thuis. Ze mogen niet aan de Olympische Spelen van Sydney deelnemen.

Op 21 oktober 2000 neemt de drugsaffaire rond de Duitse voetbaltrainer en ex-international Christoph Daum sensationele vormen aan. Aanleiding voor de affaire-Daum zijn uitlatingen van manager Ueli Hoeness van Bayern München tegenover de *Münchener Abendzeitung*. Hoeness verklaarde daarin: 'Als alle geruchten rond Daum waar zijn, kan hij geen bondscoach worden.' Daum schakelt daarop de Hamburgse advocaat Prinz in, die een aanklacht wegens smaad tegen Hoeness neerlegt.

Op 5 oktober 2000 eist Scherer, vice-voorzitter van Bayern München, een haaranalyse van Daum om de verdenking van drugsgebruik te weerleggen. Op 9 oktober ondergaat Daum in Keulen een haaranalyse. Op 20 oktober hoort hij van de universiteit van Keulen dat hij positief is. De haaranalyse zou een onverwacht hoge concentratie cocaïne te zien hebben gegeven. Daum wordt als trainer van Bayer Leverkusen ontslagen en de Duitse voetbalbond (DFB) zegt de overeenkomst met Daum, die in 2001 nationaal bondscoach zou worden, op.

De openbaar aanklager van Koblenz mengt zich op 27 oktober in de zaak. Daums woning en de werkruimten van Bayer Leverkusen worden aan een onderzoek onderworpen. Daum vertrekt naar Miami voor een tweede haaranalyse. Die zou – aldus Daum op 16 november 2000 – negatief zijn uitgevallen. Intussen dreigen onbekenden Uele Hoeness hem met een bom in zijn auto op te blazen. Het is een menselijk drama dat in de Duitse voetbalgeschiedenis zijn weerga niet kent.

De Olympische Spelen in Sydney zouden als de schoonste Spelen ooit de geschiedenis in gaan. Liefst 3600 controles werden uitgevoerd. En ondanks de nog niet helemaal waterdichte EPO-controle liepen twintig atleten tegen de lamp.

In Sydney bleek ook de toenemende invloed van het World Doping Agency (WADA), dat nog niet zo lang operationeel is. De diverse sportfederaties kunnen het zich steeds minder veroorloven de boel te belazeren. Vooral de UCI wil haar controlebeleid in handen van het WADA geven en daartoe ook financiële middelen ter beschikking stellen.

In 2000 zijn er steeds minder sportlieden-dopinggebruikers die zich via kleine of grote handelaars bevoorraden. Het internet heeft de verboden spullen binnen handbereik van elke sporter gebracht. Het volstaat *anabolic steroids* als zoekterm in te toetsen om op duizenden verwijzingen te stuiten. Verschillende sites maken toespelingen op de verkoop van schildklierhormonen, anabole steroïden en clenbuterol. Probleemloos kunnen e-mailadressen van handelaars worden achterhaald. Handelaars plaatsen advertenties met bestellijsten. De post bezorgt daarna de verboden spullen thuis. De afzender blijkt vaak een postbusnummer in een ver land te hebben.

In Nederland wordt doping bestreden via de Opiumwet van 12 mei 1928 en via de Wet verstrekking van geneesmiddelen uit de jaren zeventig. De Opiumwet is opgesteld met het doel de Nederlandse regelgeving af te stemmen op het internationale opiumverdrag, dat in 1925 door Nederland werd ondertekend. De Opiumwet werd regelmatig bijgesteld. Zeer drastisch op 1 november 1976, toen een scheiding werd gemaakt tussen harddrugs (lijst 1) en softdrugs (lijst 2). Alle stoffen die als verdovende middelen worden beschouwd – ook dopingmiddelen – zijn in de wet ondergebracht.

Overtreders van de Opiumwet kunnen worden bestraft met geldboetes die variëren van ƒ 5000,- tot ƒ 1.000.000,- en/of gevangenisstraffen die variëren van een maand tot twaalf jaar.

Illegale gebruikers van EPO en andere moderne dopingmiddelen kunnen worden aangepakt op basis van de Wet verstrekking geneesmiddelen. Wie zonder bemiddeling van een arts of zonder doktersvoorschrift bijvoorbeeld EPO en groeihormonen neemt of verhandelt is strafbaar.

10. De rol van de media

Op 16 november 1988 schrijft de *New York Times*: 'Ruim de helft van de 9000 deelnemers aan de Olympische Spelen in Seoul heeft tijdens de voorbereiding anabole steroïden gebruikt om de prestaties op te voeren. De *New York Times* baseert deze bewering op een onderzoek dat is uitgevoerd door sportmedici.

Hoewel slechts tien sporters, onder wie de Canadese winnaar van de 100 meter Ben Johnson, werden betrapt, citeert de krant dokter Park Jong Sei, hoofd van het medische controleapparaat in Seoul – geassisteerd door zeven artsen en drieënveertig assistenten en een batterij computers van Hewlett-Packard in een ultramodern laboratoriumgebouw van vijf etages. Park Jong Sei verklaart dat nog twintig andere sportlieden positief werden bevonden. Zij werden echter niet uitgesloten. Volgens de krant reageerde ioc-voorzitter Juan Antonio Samaranch als volgt op het nieuws: 'Het is misschien wel waar dat zij hebben geslikt, maar de hoeveelheid was dermate klein dat ze niet voor schorsing in aanmerking kwamen.'

Dokter Robert Voy, verantwoordelijk arts van het Amerikaanse Olympische Comité, schat het aantal dopinggebruikers op ongeveer 50 procent.

Volgens de *New York Times*, toch een respectabele krant, begonnen dus 4500 atleten in Seoul gedrogeerd aan de Spelen. Dat is een stelling die nooit hardgemaakt kan worden. En zo gaat het dikwijls in de media. In hun jacht op dopingzondaars in de sport verliezen journalisten dikwijls hun zorgvuldigheid, een van de basiselementen in de journalistiek.

Want wie heeft de deelnemers aan de Spelen in Seoul tevoren aan een grondige medische controle met bloed- en urinestalen onderworpen? Slechts een beperkt percentage onderging een dergelijk onderzoek. En toch waagt de *New York Times* het om 4500 sportlieden uit de hele wereld in de beklaagdenbank te zetten.

In oktober 1988 schrijft *l'Equipe-Magazine*: 'In 1984, tijdens de Olympische Spelen in Los Angeles, waren er talrijke positieve dopinggevallen, onder wie beroemde atleten. Maar in de tweede week van de Spelen moest het geaccrediteerde laboratorium zijn werkzaamheden staken wegens "staatsredenen". Het Witte Huis wilde niet dat dopingschandalen waarbij Olympische kampioenen betrokken waren, het imago van de Spelen in Los Angeles zouden besmeuren.' Een gewaagde veronderstelling, waarvoor het bewijs nimmer geleverd is.

In 1995 wordt de Spaanse ONCE-ploeg tijdens de Ronde van Spanje getroffen door buikloop. De hele ploeg, onder wie de Franse kopman Laurent Jalabert, zit 's nachts op het toilet en verschijnt nadien geradbraakt aan de start van de etappe. De volgende dag kopt het Parijse sportblad *l'Equipe*: 'ONCE slachtoffer van doping.'

In het artikel van *l'Equipe* wordt ook terloops verwezen naar de collectieve onmacht waaraan de Nederlandse PDM-ploeg in de Tour de France van 1991 ten prooi viel, toen de ploegarts van PDM, de veelbesproken Wim Sanders, bedorven intralipid in de aderen van de renners (Sean Kelly, Erik Breukink) had gespoten. Volgens dokter Sanders was intralipid niet meer dan een 'nuttig voedingssupplement', volgens *l'Equipe* was het destijds al doping.

Hoe kwam *l'Equipe* aan deze wijsheden? Want nergens bleek in de artikelen of bepaalde personen een getuigenis hadden afgelegd of dat uit laboratoriumonderzoek was gebleken dat er met verboden producten was gewerkt. We moeten dus aannemen dat de Parijse journalisten zijn afgegaan op vermoedens en veronderstellingen.

Dit geeft nog maar eens de moeilijke positie van de media aan als het gaat om het traceren van dopinggebruik. Waar moeten journalisten hun waarheid vandaan halen? De 'dopingzondaars' zullen hun daden in het geniep plegen. Getuigen zijn er in de sportwereld, die alle kenmerken van sektarisme vertoont, niet gauw te vinden.

Alleen als de staat met haar machtsmiddelen ingrijpt, zoals in de Tour de France van 1998, komen zaken aan het licht die normaal verborgen blijven. De bekentenissen in de Festina-zaak in Lille zijn uniek. Nooit eerder gaven sporters op zo'n hoog niveau toe in georganiseerd en georkestreerd verband verboden producten als EPO en groeihormonen te hebben gebruikt – lichaamseigen en dus moeilijk opspoorbare hormonale producten.

Vrijwel altijd wordt ontkend. Zelfs Katrin Krabbe, de Duitse sprintster van wereldniveau die tijdens een *out of competition*-controle in Stellenbosch in Zuid-Afrika werd betrapt, heeft nooit toegegeven dat ze fout was.

Af en toe komen er, bijvoorbeeld uit Amerika, onderzoeken boven water die wel een gefundeerd bewijs leveren van dopinggebruik. W.E. Buckley, lector in de gezondheidsopvoeding aan de universiteit van Pennsylvania, ondervroeg in 1989 3403 jongens in de hoogste klassen van zesenveertig openbare en particuliere middelbare scholen in de Verenigde Staten naar hun dopinggebruik. Daarbij bleek dat van elke vijftien mannelijke middelbare scholieren er één anabole steroïden gebruikte om zijn sportprestaties of zijn uiterlijk te verbeteren. De laatste jaren wordt door artsen steeds vaker gewaarschuwd voor de akelige bijverschijnselen van anabole steroïden, zoals hevige gemoedswisselingen, ernstige acne, kaalheid, tijdelijke steriliteit, abnormale leverfunctie, hoge bloeddruk, hart- en vaataandoeningen en mogelijk kanker aan de lever en de testikels.

Op zondag 22 oktober 1967 verslaat Fortuna '54 in het Mauritsstadion in Geleen de FC Twente van trainer Kees Rijvers, ex-international en later bondscoach. De uitslag is 4-2. Het is een wedstrijd geweest op het scherp van de snede, soms rolden de spelers meer over de grond dan dat zij liepen.

Kees Rijvers verlaat woedend zijn dug-out en roept tegen mij: 'Heb je het gezien? Ze zaten tot hier vol!' En hij maakt met zijn hand een beweging naar zijn voorhoofd. Het was, in het elfde jaar van de eredivisie, een ernstige beschuldiging over vermeend dopinggebruik in het betaalde voetbal.

Ik heb het braaf opgetekend en in de krant gezet. Meer kon ik niet doen. Want elk bewijs ontbrak. Ik kon Rijvers citeren en dat was alles. Want er werden bij voetbal, in tegenstelling tot wielrennen en andere sporten, geen dopingcontroles gehouden.

In oktober 1978, ruim tien jaar na de ontboezeming van Kees Rijvers, spelen in Brussel Anderlecht en Barcelona in de tweede ronde van de UEFA-cup tegen elkaar. De Bijzondere Opsporings

Brigade, berucht bij wielrenners omdat de mannen van de BOB hen vaak bij nacht en ontij aanhouden en hun auto's, caravans en bagage doorzoeken, meldt zich met een aantal manschappen bij de kleedkamers van Anderlecht en Barcelona om uitvoering te geven aan de Belgische wet van 2 april 1965 die dopingpraktijken bij sportcompetities verbiedt.

Maar wat gebeurt? FC Barcelona weigert zich aan de politiecontrole te onderwerpen en Anderlecht doet bij het naderen van de BOB ook snel de deur van de kleedkamer op slot. De BOB, die wielrenners bij weigering altijd arresteerde, vertrekt onverrichter zake. Hoge politici bedekken nadien het incident, bevreesd als ze zijn voor een breuk in de relatie tussen de landen, met de mantel der liefde.

In 1974 vond de KNVB dat het eindelijk tijd werd om, teneinde de publieke opinie en de overheid te sussen, dopingonderzoeken te gaan houden 'op basis van vrijwilligheid'. Her en der werden van voetballers, wier anonimiteit gegarandeerd was, plasjes ingezameld die door prof.dr. Jacques van Rossum, toen nog verbonden aan het toxicologisch instituut in Nijmegen, werden onderzocht. Als een dopingcontroleur zich naar een bepaalde voetbalclub begaf, werd die club tijdig van zijn komst op de hoogte gebracht. De juiste uitkomst van deze proeven is nimmer bekendgemaakt. In de wandelgangen circuleerde het gerucht dat 1,5 procent van de onderzochte spelers positief zou zijn gebleken. Naar aanleiding van de proeven zag de KNVB geen aanleiding regelmatig controles in te voeren.

Zo heeft voetbal in verband met doping zijn bevoorrechte positie behouden, hoewel bijvoorbeeld de Franse international Christophe Dugarry en natuurlijk Diego Maradona hebben bewezen dat – evenals in alle andere sporten – ook in voetbal verboden middelen worden gebruikt. De media zijn echter ten opzichte van betrapte voetballers in het algemeen veel milder gestemd dan tegenover betrapte wielrenners en atleten, gewichtheffers, roeiers en zwemmers. Om de een of andere reden worden individuele sporters harder aangepakt.

Is voetbal té populair? In 1998 – vlak voordat het speciale politieteam van veertig eenheden, vrijgemaakt door de Franse minister van Sport en Jeugd mevrouw Marie-George Buffet, invallen deed in de Tour-karavaan – werden de wereldkampioenschappen voetbal in Frankrijk gehouden. Een mooie gelegenheid voor een ministerie dat zich bezighoudt met de jacht op fraudeurs in de sport, om op uitgebreide schaal controles in de diverse voetbalkampen uit te voeren. Maar niets van dit alles. Na de WK stond er een miljoen Fransen op de Champs-Elysées om de Franse spelers in de schaduw van de Arc de Triomphe te huldigen – en welke minister zou de moed hebben opgebracht om een of meer wereldkampioenen op verdenking van dopinggebruik te laten arresteren en afvoeren?

Een maand later gebeurde dat wel met de wielrenners. Is hier sprake van selectieve verontwaardiging? Of heeft het wielrennen een dusdanig slechte reputatie over zichzelf afgeroepen dat de acties van het Franse ministerie meer in de lijn der logica liggen?

In elk geval bleven de media over deze kwestie aan de zijlijn. Oók toen bleek dat een der Franse wereldkampioenen, Christophe Dugarry van Olympic Marseille, later bij een dopingcontrole na een duel in de Franse competitie positief reageerde.

Toen in 1960 tijdens de 100 kilometer-ploegentijdrit van de Olympische Spelen in Rome de Deense wielrenner Knud Jensen zomaar dood van zijn fiets viel, meldden de media dat Jensen het slachtoffer van een zonnesteek was geworden. Journalisten waren in die tijd immers nog niet zo alert als tegenwoordig. Nadien werd bekend dat in de urine van Jensen het verboden dopingproduct Ronicol was aangetroffen.

In veertig jaar topsport heeft de journalistieke achterdocht intussen grote vormen aangenomen. Dat is ook wel noodzakelijk, zo blijkt uit de praktijk van de vercommercialiseerde sportwereld, waar de moraliteit ernstig heeft geleden onder de almaar toegenomen belangen.

Neem Ben Johnson, het grootste dopingslachtoffer van de Olympische Spelen ooit. Toen hij in Seoul positief verklaard werd op stanozolol, een anabole steroïde, verloor Johnson al zijn sponsoren, waaronder de zuivelindustrie in Finland en de Japanse oliemaatschappij Kyoda Oil: bij elkaar goed voor 20 miljoen dollar per jaar, meer dan 40 miljoen gulden. Met behulp van dat kapitaal had de straatarme kleurling uit Jamaica zich jarenlang opgepept met anabole steroïden, totdat hij eruitzag als een bodybuilder en 'the fastest man on earth' (de snelste man op aarde) was geworden. Johnson reed rond in een Ferrari Testarossa van ƒ 400.000,- en hij bouwde een riante villa voor zijn moeder Gloria, die altijd voor zichzelf en haar zes kinderen de kost verdiend had door voor een hongerloon de toiletten van scholen te poetsen en in de keuken van het vliegveld etensresten op te ruimen.

Enorme belangen dus, waarvoor menig sportman of -vrouw is bezweken. Het grote geld, de roem, het aanzien, de gouden medailles en de wereldtitels. Een totaalpakket dat in alle uithoeken van de wereld geldelijk gewin oplevert en waarvoor mensen zelfs hun leven en gezondheid op het spel zetten.

In november 2000 slaat de geruchtenstroom met orkaankracht toe in het wereldje van de schaatsers. De Noors-Amerikaanse deskundige Jim Stray-Gundersen, in Milwaukee verantwoordelijk voor de dopingcontroles, verklaart dat bij de 125 bloedtests die in het seizoen 1999-2000 voor de wereldkampioenschappen allround in Milwaukee en voor de wereldkampioenschappen afstanden in Nagano werden afgenomen bij 10 tot 15 procent de verdenking op dopinggebruik rees. Er werden althans waarden gemeten die sterk aan dopinggebruik deden denken. Gundersen vindt de resultaten alarmerend en dringt aan op uitbreiding van de controles. In Nagano ontstond paniek in het Nederlandse kamp toen bij Marianne Timmer een hematocrietwaarde van 47,4 gemeten werd (47 is de maximum toegestane grens bij vrouwen). Een dag later werd Marianne Timmer opnieuw gemeten en toen had ze 44 en mocht ze dus starten. Behalve bij Marianne Timmer waren bij nog zeven schaatsers te hoge hematocrietwaarden vastgesteld.

De grootste krant van Noorwegen, *Verdens Gang*, beschuldigde na de uitspraken van Gundersen veelvoudig wereldkampioen Gianni Romme en andere topschaatsers indirect van dopinggebruik. In een artikel met als kop 'Bloeddoping' staat een foto van Romme terwijl hij in Milwaukee zijn ereronde rijdt.

Gianni Romme reageerde laconiek op de aantijgingen. 'Als je de beste bent, verdenkt de hele wereld je toch. Ik wil niets met doping te maken hebben. Als ik ooit voorbij word gereden door mensen waarvan ik denk dat ze dope genomen hebben, zal ik overwegen om te stoppen.'

En toch zette *Verdens Gang* Gianni Romme indirect in de beklaagdenbank: in een speculatief artikel, want harde bewijzen heeft de krant niet. Romme is nog nooit betrapt op gebruik van stimulerende middelen. Het is dus een artikel gebaseerd op vermoedens. 'Omdat Romme zo hard over het ijs gaat.' Dezelfde vermoedens die een Franse trainer tijdens het Festina-proces in Lille uitte over Lance Armstrong. 'Het kan toch niet dat Armstrong op een moeilijk parcours tussen Fribourg en Mulhouse de tijdrit afraast met een gemiddelde van bijna 54 kilometer. Dat moet wel met de hulp van stimulerende middelen gebeuren.' Het zijn ongefundeerde uitingen van wantrouwen, gevoed door sensatiezucht.

Want niet álle verdachten of betrapten zijn schuldig.

In de media wordt lang niet altijd met de omzichtigheid en zorgvuldigheid gewerkt die het journalistieke vak vraagt. De laatste jaren heeft vooral *l'Equipe* in Parijs met scherp geschoten op zowat iedereen die zich in de wielerwereld bewoog. Het negativisme in de kolommen van de krant die via haar voorloper *l'Auto* in 1903 het initiatief tot het houden van de Tour de France nam, droop ervan af. *L'Equipe*, met kennelijk veel tipgevers in justitiële kringen, publiceerde artikelen die baanbrekend waren in de strijd tegen doping, maar ook een aantal stukken die op z'n minst suggestief waren en uitgingen van veronderstellingen, in plaats van feiten.

Dit leidde tot een zeer gespannen situatie tussen de sportwereld en de sportkrant. Op zaterdagavond 8 mei 1999 kwam het in Duinkerken tot een uitbarsting. Onder het kopje 'Un journaliste de l'Equipe agressé' meldde het blad dat een van zijn journalisten, Manuel Martinez, tijdens de Vierdaagse van Duinkerken door een groep onbekende personen was aangevallen. Eerst was Martinez in een

Gianni Romme, door een Noorse krant verdacht van dopinggebruik.

bar te verstaan gegeven dat de dopingaffaires in *l'Equipe* veel te breed werden uitgemeten. Toen hij de bar verliet om naar zijn hotel te gaan, werd hij door drie personen achtervolgd en op straat geschopt en geslagen. Hij raakte gewond aan zijn gezicht en achterhoofd.

Elke sportjournalist bevindt zich in het niemandsland tussen justitie en dopingcontroleurs enerzijds en de topsporters anderzijds in een ongemakkelijke positie. Een fotograaf zag tijdens de laatste etappe van de Ronde van Zwitserland op 24 juni 1999 dat iemand van de Italiaanse ploeg Lampre injectienaalden en ampullen in een container gooide. De fotograaf viste de spullen uit de container en bracht ze naar de sportarts Walter Frey, die de spullen liet analyseren. Het bleek om prestatieverhogende, verboden producten te gaan, die op de zwarte lijst van de UCI voorkomen. Lampre kreeg daardoor een startverbod voor de Tour de France.

Journalisten van een Deens televisiestation doorzochten in 1998 hotelkamers waar renners hadden geslapen en visten uit de prullenbakken spuiten en medicamenten op. Volgens de analyses in een laboratorium was ook hier sprake van verboden middelen.

Journalisten van het Franse televisiestation France 3 volgden tijdens de Tour de France van 2000 een auto met een Duits kenteken die ze gezien hadden op de parkeerplaats van een hotel waar de Amerikaanse ploeg van US Postal, de formatie van Lance Armstrong, logeerde. De auto met het Duitse kenteken sloeg een landweggetje in en daar werd een zak met medische spullen naar buiten gegooid. De journalisten brachten de zak naar een laboratorium, waar werd vastgesteld dat de inhoud onder meer een preparaat bevatte dat als een soort vervangende EPO gezien kon worden. Op basis van deze waarneming startte het parket in Parijs in de herfst van 2000 een justitieel vooronderzoek naar de US Postal-ploeg.

De media speelden een dubieuze rol bij de arrestatie van het Belgische enfant terrible Frank Vandenbroucke. Hij wilde op donderdag 6 mei 1999 met zijn Cofidis-ploegmakker Philippe Gaumont in Amiens in Noord-Frankrijk aan een trainingstocht beginnen toen hij werd aangehouden en naar Parijs werd overgebracht.

Op de voorpagina van het dagblad *De Limburger* stond op 29 mei 1999 een bericht van de Franse correspondent Wilko Voordouw. Het kopje boven het bericht luidt: 'Vandenbroucke en Virenque op doping betrapt.' En de tekst:

Frank Vandenbroucke, Richard Virenque en nog twee andere wielrenners zijn positief bevonden op het gebruik van verboden stimulerende middelen. Dit blijkt uit analyses die begin mei zijn afgenomen van de coureurs. Vandenbroucke wordt volgens justitiekringen ook ernstig verdacht van het gebruik van het verboden bloedhormoon EPO. Zijn percentage rode bloedlichaampjes lag ver boven de norm van de Internationale Wielerunie.

En op een binnenpagina van *De Limburger* vervolgt Voordouw zijn verhaal: 'Vandenbroucke werd betrapt op het gebruik van amfetaminen. Vandenbroucke had bovendien een hematocrietpercentage van 52 procent.'

Ook *l'Equipe* bericht dat Vandenbroucke is behandeld met anabolen en corticosteroïden. Hij had zich namelijk laten bijstaan door Bernard Sainz, paardenhandelaar en voormalig wielersoigneur, een louche pseudo-arts, bijgenaamd 'Dokter Mabuse'. Sainz zou Vandenbroucke volgens vele kranten met dopingmiddelen hebben ingespoten.

Maar Vandenbroucke werd twee dagen later weer vrijgelaten uit het politiebureau aan de Quai des Orfèvres in Parijs.

Als het om doping gaat rukken de media op volle oorlogssterkte uit. Maar niet altijd wordt de vereiste zorgvuldigheid in de berichtgeving in acht genomen.

Op 19 juni 1999, ruim anderhalve maand na de arrestatie van Frank Vandenbroucke, volgt dan in *De Telegraaf* het laconieke bericht: 'Vandenbroucke vrijgesproken.'

> Frank Vandenbroucke is vrijgesproken van vermeende beschuldigingen van dopinggebruik. Onderzoeksrechter Collard verontschuldigde zich gistermiddag tegenover de Belgische wielrenner. Uit de resultaten van het bloed-, urine- en haaronderzoek bleek dat Vandenbroucke geen verboden middelen heeft gebruikt. Onderzoeksrechter Collard gaf toe dat ze het erg vond dat zijn naam een negatief imago heeft opgelopen en bood haar excuses aan. Hiermee wordt het verhaal van de Parijse sportkrant *l'Equipe*, waarin stond dat Vandenbroucke amfetaminen gebruikte en dat zijn hematocrietgehalte 52 procent bedroeg, naar het rijk der fabelen verwezen.

Aldus *De Telegraaf.*

Voor de kranten die Vandenbroucke in grote opmaak als dopingzondaar aan de schandpaal hadden genageld, was de vrijspraak een pijnlijke zaak. De vrijspraak werd dan ook in korte eenkolomsberichten ergens op de binnenpagina's weggedrukt.

In juni 1999 schreef het gerenommeerde Duitse blad *Der Spiegel* dat de Telekom-ploeg en haar kopman Jan Ullrich systematisch doping gebruikten. In een groot verhaal berichtte *Der Spiegel* over gebruik van EPO, groeihormonen en steroïden bij Telekom.

Jan Ullrich klaagde het blad aan wegens smaad en *Der Spiegel* moest van de rechtbank in Hamburg de beschuldigingen rectificeren.

Dopingverhalen renderen. Ze worden gretig gelezen. Niet voor niets werden van het dopingboek *Massacre à la Chaine (Prikken en slikken)* van ex-Festina-verzorger Willy Voet 150 000 exemplaren verkocht. Daardoor wint de scoringsdrift van journalisten het soms van de waarheid en werkelijkheid.

Er is véél mis in de sportwereld, maar ook weer niet álles.

11. Recente dopingkwesties

5 januari 2000: De biecht
De voorzitter van de UCI, de Nederlander Hein Verbruggen, laakt de uitspraken van de ex-renners Peter Winnen, Maarten Ducrot en Steven Rooks in het televisieprogramma *Reporter*. Het drietal verklaarde dat in de Nederlandse wielerploegen Raleigh, Panasonic, Kwantum, Buckler en TVM doping werd gebruikt. 2000 is trouwens het jaar van de biecht. In het verleden bekenden ex-renners slechts sporadisch dat ze tijdens hun carrière naar stimulerende middelen hebben gegrepen. Maar onder druk van de omstandigheden geven behalve het drietal Winnen, Rooks en Ducrot ook Eddy Planckaert, Alex Zülle, Laurent Brochard, Richard Virenque, Pascal Hervé, Laurent Dufaux, Dag-Otto Lauritzen, Dag-Erik Pedersen, Christophe Moreau, Luc Leblanc, Erwan Menthéour, Gilles Delion en Didier Rous toe dat ze verboden producten hebben gebruikt.

6 januari 2000: Aanval van het parket
Onderzoeksrechter Spinosa van Bologna daagt, in de jacht op dopingpraktijken, tientallen personen voor de rechter. Onder wie de artsen Michele Ferrari en Daniele Tarsi, de ploegleiders Primo Franchini, Orlando Maini, Luciano Rossignoli, Massimo Besmati, Emmanuele Bombini en Giancarlo Ferretti en de renners Gianluca Bortolami, Gianni Bugno, Alessandro Bertolini, Claudio Chiappucci, Mario Cipollini, Armand de las Cuevas, Fernando Escartin, Gianni Faresin, Giorgio Furlan, Andreas Kappes, Kevin Livingstone, Eddy Mazoleni, Axel Merckx, Abraham Olano, Tony Rominger, Paolo Savoldelli, Marco Simeoni, Enrico Zaina en Beat Zberg.

8 januari 2000: Niet altijd schuldig

De Italiaanse professor Davide Ferrara, een van de experts die in Rome rapport heeft opgemaakt tegen zestien doktoren, apothekers en begeleiders wegens het verstrekken van EPO aan sportlieden, verklaart dat hoge hematocrietwaarden ook natuurlijke oorzaken kunnen hebben door psychologische en pathologische factoren.

In dit verband is ook het verhaal van de Franse junior Cyril Sabatier uit de Provence en lid van de Vélo-Club de Lyon-Vaulx-en-Velin interessant. Als zeventienjarige werd hij kampioen van Frankrijk bij de junioren. Hij werd na afloop van het kampioenschap in 1988 op doping gecontroleerd en bleek 'zwaar positief' te zijn. Zijn testosteronspiegel lag ver boven de normale waarde. Sabatier werd gedeklasseerd en moest zijn kampioenstrui uittrekken.

De gemiddelde verhouding van testosteron tot het derivaat epitestosteron varieert van 0,5 tot twee. Volgens het internationale dopingreglement is 6 het maximum, maar 6 komt zelden voor. Onder invloed van de inspanning kan de testosteronspiegel in het bloed veranderen. Bij Sabatier bleek een abnormale productie van epitestosteron verantwoordelijk voor de extreem hoge score van testosteron.

Cyril Sabatier werd vervolgens onder toezicht van een notaris en de Franse wielerbond zes dagen lang onder strenge bewaking opgesloten in de militaire kazerne van het Bataillon van Joinville, waar zijn bloed en urine elke dag werden gecontroleerd. De wielrenner werd binnenste buiten gekeerd, maar zijn testosteronspiegel bleef stijgen, van 6 op de eerste dag naar 12 op de laatste dag.

Zijn eigen organisme was verantwoordelijk voor de abnormaal hoge testosteronproductie. De familie Sabatier uit Nîmes had gelijk toen zij zwoer het onrecht te zullen aanvechten. Cyril Sabatier werd door de Franse wielerbond in ere hersteld en hij kreeg zijn kampioenstrui terug met excuses.

17 april 2000: Arts Pantani ontslagen

Ploegarts Roberto Rempi van Mercatone Uno wordt door de procureur van Triest beschuldigd van het toedienen van EPO aan Marco Pantani. Als leider in de Giro werd Pantani op 5 juni 1999, op de voorlaatste dag van de Ronde van Italië, uit de koers gezet wegens een te hoge hematocrietwaarde. Dokter Rempi wordt door sponsor Mercatone Uno ontslagen.

24 april 2000: Wereldkampioen MTB schuldig
Het gerecht in Perpignan ondervraagt zeventien personen die verdacht worden van handel in en gebruik van dopingproducten. Jerôme Chiotti, ex-renner van Festina, bekent dat hij in 1996 de wereldtitel in het mountainbiken heeft gewonnen met behulp van EPO.

26 april 2000: De jacht op verboden middelen
Het staatje hieronder laat zien dat er tussen het eerste gebruik van een substantie in de sport en de opsporing vaak vele jaren verstrijken. In het geval van amfetaminen tweeëndertig jaar, bij testosteron dertig jaar, bij anabolica twintig jaar.

Substantie	Ontdekking	Eerste gebruik in sport	Verbod door IOC	Opsporing
Amfetaminen	1930	1936	1968	1968
Anabolica	1940	1954	1974	1976
Bètablokkers	1958	1978	1985	1985
Corticoïden	1936	1960	1987	niet
Diuretica	1956	1968	1986	1986
EPO	1950	1987	1990	niet*
Efedrine	1934	1964	1968	1968
Groeihormonen	1944	1980	1989	niet
Probenecide	1954	1976	1987	1987
Testosteron	1935	1952	1982	1982

* In december 2000 had de juridische commissie van het IOC nog altijd niet de Franse (urine) en Australische (bloed) methoden om EPO op te sporen gehomologeerd.

27 april 2000: Dodelijk groeihormoon
In Frankrijk waarschuwen medische diensten voor het gebruik van het groeihormoon hGH. Dit hormoon deed in de jaren zeventig zijn intrede in de atletiek. De voorbije jaren zijn in Frankrijk een vijftigtal kinderen wegens dwerggroei behandeld met hGH. Een aantal bezweek daarna aan de ziekte van Creutzfeldt-Jakob, beter bekend als de gekkekoeienziekte.

Synthetisch groeihormoon is pas sinds 1987 beschikbaar. Voorheen werd het groeihormoon gewonnen uit de hersenen van gestorven mensen (extractief groeihormoon). Tot 1977, toen een zuiveringsmethode werd ingevoerd, was de kans op besmet groeihormoon groot. Een op tweehonderd, volgens voorzichtige schattingen. Maar zelfs na 1987 is een aantal sportlieden extractief groeihormoon blijven gebruiken dat afkomstig was uit Duitsland, Midden-Europa en de voormalige Sovjet-Unie. De lijst van slachtoffers in de sport van hGH bevat officieel slechts één naam: die van een Franse bodybuilder die in 1998 stierf. Maar de lijst kan nog spectaculair groeien omdat de incubatietijd voor de ziekte tien à dertig jaar bedraagt.

28 april 2000: Geen dopinglijst bij honkbal

In 1998 brak de honkballer Mark McGwire het oude record van 62 homeruns in één seizoen. Hij werd tot Amerikaans sportman van het jaar gekozen. In september 1999 gaf McGwire het gebruik van androstenedion toe, een anabole steroïde. 'Wat ik gedaan heb is vrij natuurlijk,' vertelde McGwire, 'want iedereen in de honkbaltop gebruikt hetzelfde spul.' De Amerikaanse baseballbond kent geen dopinglijst en straft dus ook niet.

30 april 2000: Nandrolon in tennis

Het toptennis kent weinig dopinggevallen. Althans, er komen weinig affaires aan het daglicht, want de bond maakt de namen niet bekend. De tennissterren zijn, in geval van een schorsing, dan enige tijd geblesseerd. John McEnroe vertelde over de opkomst van het zogenaamde power tennis: 'Wie denkt dat anabole steroïden niet in tennis voorkomen, bedriegt zichzelf.'

In december 1998 blijkt dat de Tsjech Petr Korda op Wimbledon nandrolon heeft gebruikt. De Tsjech, sinds enige tijd top-tien-speler, moest zijn prijzengeld inleveren alsook zijn punten voor de wereldranking. Hij werd niet geschorst.

6 juni 2000: Sportieve wraak Francesco Casagrande

De Italiaan Francesco Casagrande rukt na een schorsing van negen maanden wegens dopinggebruik (september 1998-mei 1999) op naar de eerste plaats in de ranking van de UCI. In 1998 was Casagrande in de Ronde van Romandië en de Ronde van Trentino positief op een te hoog testosteron. De Italiaanse wielerbond schorste hem voor zes maanden, maar het TAS (Tribunal Arbitral Sportif) deed er drie maanden bij. Casagrande bij zijn comeback: 'Ik heb als een gevangene de dagen afgeteld.'

Casagrande speelde in mei en juni 2000 een hoofdrol in de

Ronde van Italië en hij werd in punten de nummer één van de wereld. 'Dit is mijn sportieve wraak,' zei hij.

25 juli 2000: In Spanje waart dopingspook rond
De beste Spaanse jonge professional Oscar Sevilla van Kelme wordt positief bevonden wegens een te hoog cafeïnegehalte in zijn urine.

Het is trouwens raak in Spanje want de Spaanse kampioen Alvaro Gonzalez de Galdeano van Vitalicio loopt tegen de lamp in de GP van Llodio. En weer heet het middel: nandrolon. Zijn ploegmaat Jan Hruska wordt tijdens de Vuelta betrapt op doping. Het middel heet: nandrolon. Maar zijn transfer naar ONCE komt daardoor niet in gevaar.

2 oktober 2000: Festina-arts Eric Rijckaert veroordeeld
De correctionele rechtbank van Gent veroordeelt de zevenenvijftigjarige arts Eric Rijckaert (ex-Festina) tot zes maanden voorwaardelijk met een boete van ƒ 15.000,-. Rijckaert bestelde bij een apotheker in Lovendegem van 1995 tot 1997 negen keer Eprex, een merknaam voor EPO. Thuis in zijn computer stonden de namen van de renners van Festina genoteerd aan wie Rijckaert de EPO verstrekte. Per seizoen kreeg een renner van Rijckaert 100 tot 120 ampullen EPO en 70 tot 90 dosissen groeihormonen. Het computerbestand van dokter Rijckaert bevatte ook de hematocrietwaarden van de renners, zodat zij bij de gezondheidscontroles niet konden worden gepakt.

10 oktober 2000: Duitsers in de problemen
De Duitser Andreas Kappes van de ploeg AGRO, wiens naam ook bij de dopingaffaires in Italië opduikt, is tijdens de Duitse baankampioenschappen positief. Het middel: nandrolon. Kappes, een der beste zesdaagserenners van Duitsland, is al voor de tweede keer in korte tijd positief.

Zijn landgenoot Dirk Müller van de Zwitserse ploeg Post Suisse is in de Regio Tour positief op testosteron.

12 oktober 2000: Wereldwijd 5436 renners gecontroleerd
De UCI, de internationale wielerbond, publiceert een rapport waarin bekendgemaakt wordt dat er door hen in 1999 wereldwijd 5436 controles zijn uitgevoerd. In 252 urinestalen werden substanties

van verboden middelen aangetroffen, slechts 59 renners werden bestraft. De andere 193 renners konden een medisch attest voorleggen. Opvallend groot was het gebruik van salbutamol. Volgens het IOC en de UCI is een beperkt gebruik van 10 milligram toegestaan. Behalve in Frankrijk, waar salbutamol zonder restrictie op de verboden lijst staat.

In juli 2000 publiceerde *Medicine and Science in Sports and Exercise*, het meest vooraanstaande sportmedische tijdschrift, de resultaten van een onderzoek waaruit bleek dat salbutamol prestatieverhogend is.

27 oktober 2000: Gouden medaillewinnaars Italië verdacht

Het Italiaans Olympisch Comité schorst haar wetenschappelijke antidopingcommissie met onmiddellijke ingang wegens 'ontoelaatbaar gedrag'.

De commissie lekte vertrouwelijke informatie aan het dagblad *Corriere della Sera*. De krant maakte openbaar dat bij 61 Italiaanse topsporters abnormaal hoge hormoonspiegels waren vastgesteld. Bij de 61 atleten bevinden zich vijf gouden medaillewinnaars van de Olympische Spelen in Sydney, onder wie de wielrenster Belluti, die in Sydney de puntenkoers won vóór Leontien van Moorsel.

7 november 2000: Kalverbloed

Het Franse satirische tijdschrift *Le Canard Enchaîné* beweert dat renners van US Postal, de ploeg van Tour-winnaar Lance Armstrong, tijdens de Tour de France doping hebben gebruikt. In een vuilniszak van de ploeg lagen doosjes actovegin, een geneesmiddel uit Noorwegen. De ampullen zouden extracten bevatten van kalverbloed, dat van eiwitten, toxines en onzuiverheden werd ontdaan. Actovegin stimuleert de bloedsomloop en bevordert zuurstoftransport in het bloed. Het middel benadert de effectieve werking van EPO, maar zou geen invloed hebben op de hematocrietwaarde. Ploegleiding en directie van US Postal ontkennen het gebruik van het middel door de renners.

15 november 2000: Het geld is op

De atleet Troy Douglas moet noodgedwongen afzien van zijn verdere verdediging in de nandrolon-dopingzaak waarin hij betrokken is. Douglas werd juni 1999 positief bevonden tijdens het Nederlands kampioenschap atletiek in Apeldoorn.

Op 8 maart 2000 sprak de tuchtcommissie van de KNAU hem vrij, maar het internationaal startverbod blijft van kracht. De juridische kosten in deze affaire zijn volgens de raadsman van Douglas, Emile Vrijman, de zestigduizend gulden gepasseerd. 'En nu is het geld op,' zegt Vrijman. Noodgedwongen ziet Douglas af van verdere verdediging van zijn zaak bij de IAAF.

19 november 2000: Achttien keer doping in Nederland
In de Nederlandse sportwereld zijn in 2000 achttien dopinggevallen vastgesteld. Dit bericht de Audit Commissie Doping van het NOC/NSF. De achttien komen uit tien verschillende sporten: judo (1), voetbal (1), wielrennen (3), krachtsporten (5), ijshockey (1), taekwondo (1), schieten (2), atletiek (2) oosterse vechtsporten (1) en autosport (1).

Ook in golf was een positieve controle, maar de kwestie werd geseponeerd omdat het gebruikte middel niet op de lijst van verboden producten voorkomt. De Nederlandse hippische Sportbond zal vanaf 2001 niet alleen paarden, maar ook ruiters op dopinggebruik controleren. Tijdens de Olympische Spelen in Sydney waren twee paarden positief.

20 november 2000: Schaatsers intensiever gecontroleerd
De Internationale Schaatsunie (ISU) gaat nog in het seizoen 2000-2001 gezondheidscontroles invoeren buiten de toernooien om. Onder druk van de verdachtmakingen van de laatste tijd zal de ISU controleurs op pad sturen die ook bij trainingen een bloedtest van schaatsers kunnen afnemen. Heeft de schaatser dan een te hoge hematocrietwaarde, dan krijgt hij of zij een startverbod van twee weken, zoals ook in het wielrennen het geval is.

12. Het Festina-proces

Op maandag 23 oktober 2000 begint in de Franse stad Lille eindelijk het Festina-proces, een voortvloeisel uit de opzienbarende gebeurtenissen rond de doping-Tour van 1998. Rechtbankvoorzitter is Daniel Delegove.

Van de negen aangeklaagden zijn er maar acht aanwezig, omdat de voormalige Festina-arts Eric Rijckaert uit het Belgische Zomergem, die aan een terminale vorm van kanker lijdt, te ziek is om het proces bij te wonen.

Op deze eerste dag weigert Richard Virenque, in 1998 kopman van de Festina-ploeg, in de beklaagdenbank te bekennen dat ook hij dopingproducten gebruikte. Virenque heeft – ondanks de bekentenissen van vrijwel alle ploeggenoten, van zijn manager Bruno Roussel, van zijn ploegarts Eric Rijckaert en van zijn voormalige verzorger en vriend Willy Voet – ruim twee jaar halsstarrig geweigerd schuld te bekennen.

Op dinsdag 24 oktober, de tweede dag van het proces, ontstaat er grote opschudding als Richard Virenque ineens door de knieën gaat. Op advies van zijn advocaten Speder en Hemmerdinger bekent hij aan rechter Delegove: 'Ja, ik heb ook verboden producten gebruikt.'

Luc Leblanc, de wereldkampioen van 1994 in Agrigento, geeft als getuige toe in 1994 doping te hebben gebruikt. Alleen op de dag van het wereldkampioenschap niet. Ook het apothekersechtpaar Paranier-Luc, dat aan Willy Voet dopingproducten verkocht, bekent schuld.

Op woensdag 25 oktober, de derde dag van het proces, verschijnt Pascal Hervé in de beklaagdenbank. Hij heeft, evenals Virenque, altijd ontkend doping te hebben gebruikt. Maar nu volgt hij het voorbeeld van zijn vriend Virenque en zegt glimlachend: 'Ik heb ook doping genomen.' Manager Bruno Roussel probeert de rechter ervan te overtuigen dat niet hij maar Virenque de echte baas van de Festina-ploeg was.

Op donderdag 26 oktober, de vierde dag van het proces, wordt Jef d'Hont, de Vlaamse verzorger van de Franse La Française des Jeux-ploeg verhoord. Hij houdt zijn onschuld staande, maar de Franse ex-profs Thomas Davy en Erwan Menthéour beschuldigen d'Hont ervan dat hij dopingproducten aan renners gaf. De toxicologen Albert Pépin en Marc Devasux getuigen dat de spullen die de renners van Festina gebruikten gevaarlijk waren voor de gezondheid.

Op vrijdag 27 oktober, de vijfde dag van het proces, komt Richard Virenque zwaar onder de indruk van de getuigenissen van de biofysicus Michel Audran en de wetenschapster Bresolle. Hun conclusie luidt: er bestond doodsgevaar bij het gebruiken van de gevaarlijke stoffen. Virenque, met in zijn achterhoofd de lange schorsing die hem door de UCI zal worden opgelegd, praat dan over zijn leven na het wielrennen. Want dat Virenque nog ooit in het peloton zal terugkeren is onwaarschijnlijk.

Op maandag 30 oktober, de zesde dag van het proces, wordt Hein Verbruggen, de Nederlandse voorzitter van de UCI, verwacht. Maar de zuidwesterstorm op de luchthaven van Manchester houdt het vliegtuig van Verbruggen aan de grond. De Française Sylvie Ferrari, de vrouw van Willy Voet, getuigt dan dat haar ijskast altijd vol dopingproducten lag, en dat ze soms het gevoel had dat huisvriend Richard Virenque tussen haar en haar man sliep.

Op dinsdag 31 oktober, de zevende dag van het proces, wordt Hein Verbruggen vijf uur lang blootgesteld aan een spervuur van vragen, maar hij blijft fier overeind. Er is immers geen sportbond ter wereld die meer aan dopingbestrijding doet dan de UCI.

Op donderdag 2 november, de achtste dag van het proces, wordt Tour-directeur Jean-Marie Leblanc een uur verhoord. Nicolas Terrados, ploegarts van ONCE, ontkent alle aantijgingen. Hij wordt ervan beschuldigd verboden medicamenten Frankrijk in te hebben gesmokkeld. Terrados zegt dat hij die producten bij zich had om de renners te tonen wat ze juist niet moesten nemen.

Op vrijdag 3 november worden de zeven resterende burgerlijke partijen gehoord. La Française des Jeux en Richard Virenque hebben zich teruggetrokken, de UCI, de Franse wielerbond, de Société du Tour de France, Festina, ONCE, Laurent Brochard en Pascal Hervé eisen één symbolische franc schadevergoeding.

Op maandag 6 november, de negende dag van het proces, eist de openbaar aanklager Gérald Vinsonneau milde en voorwaardelijke straffen. Van twee maanden voor Terrados tot achttien maanden voor Roussel. De ontkennende Jef d'Hont krijgt twaalf maanden voorwaardelijk en Willy Voet veertien maanden. Richard Virenque gaat vrijuit.

Advocaat Ralph Boussier eist namens de Franse douane 2,4 miljoen Franse francs, ongeveer ƒ 800.000,-, aan ontdoken invoerrechten. Ruim ƒ 200.000,- wil hij verdeeld zien over Willy Voet, Bruno Roussel, Jean Dalibot en Joël Sabiron, in 1998 allen werkzaam bij Festina. De Spaanse dokter Nicolas Terrados zou ook twee ton moeten betalen.

Op dinsdag 7 november, de tiende procesdag, houden de verdedigers van de belangrijkste beschuldigden hun pleidooien. De advocaten vragen zonder uitzondering vrijspraak. Rechter Delegove maakt bekend dat hij op 22 december 2000 uitspraak doet. Een eventueel beroep tegen zijn vonnis wordt – negen maanden later – behandeld door het Cour d'Appel in Douai.

Na al het wapengekletter van het Elysée in Parijs, waar in de zomer van 1998 op verzoek van de minister voor Sport- en Jeugdzaken Marie-George Buffet liefst tweeënveertig politiemannen werden vrijgemaakt om tijdens de Tour de France naar doping te speuren, na het soms brute optreden van deze speciale politie-eenheid, na de enorme publiciteit die de razzia begeleidde, is het proces in Lille eigenlijk een farce: een repressief gebeuren waarin de meeste gebruikers, handelaars en organisatoren van doping hun zonden onder druk van de getuigenissen en omstandigheden 'spontaan' hebben opgebiecht. Het is meer een showproces geworden, een voorbeeld voor jonge sportlieden met de boodschap: kijk uit wat je doet. Er is geen enkele constructieve gedachte ontwikkeld voor een schonere sportbeoefening in de toekomst.

Tweeënhalf jaar is er op Frankrijks populairste wielrenner Richard Virenque gejaagd. Hij is talloze malen door het parket ontboden voor verhoor. Hij heeft altijd gezwegen en dan ten slotte op de tweede procesdag bekend. En wat gebeurt? De openbaar aanklager vindt dat Virenque vrijuit mag gaan. Waarschijnlijk hebben zijn advocaten het op een akkoordje gegooid met het openbaar ministerie. 'Als hij bekent, zullen wij geen straf vragen.'

Zo loopt ook de Festina-affaire, zoals vele andere dopingaffaires, waarschijnlijk met een sisser af.

13. IOC-lijst verboden producten anno 2000

I Verboden stoffen

A. Stimulantia

Amineptine, amifenazol, amfetaminen, bromatan, cafeïne (in een grotere concentratie in de urine dan 12 microgram per milliliter), carfedon, cocaïne, efedrine (cathine in een grotere concentratie dan 5 microgram per milliliter, voor efedrine en methylefedrine in een grotere concentratie dan 10 microgram per milliliter), voor fenilpropanolamine en pseudo-efedrine in een grotere concentratie dan 25 microgram per milliliter).

Fencamfamin, mesocarb, pentetrazol, pipradrol, salbutamol, salmeterol en terbutaline (gepermitteerd via inhalering om astma te bestrijden, mits op doktersvoorschrift).

B. Narcotica

Buprenorfine, dextroramide, diamorfine (heroïne), methadon, morfine, pentazocine, pethidine en aanverwante stoffen.

Codeïne, dextromethorfan, dextropropoxyfene, dihydrocodeïne, difenoxylate, ethylmorfine, folcodeïne, propoxyfene en tramadol zijn toegestaan.

C. Anabolica

1. Anabole androgene steroïden:
   a) Clostebol, fluoxymesteron, metandienon, metenolon, nandrolon, 19-norandrostenediol, oxandrolon, stanozolol en verwante stoffen.
   b) Androstenediol, androstenedion, dehydro-epiandrosteron, oxandrolon (DHEA), dihydro-testosteron, testosteron en aanverwante stoffen. De verhouding van testosteron tot epi-

testosteron in de urine mag niet groter zijn dan 6 op 1.
2. Bèta-2-agonisten:
Bambuterol, clenbuterol, fenoterol, formoterol, reproterol, salbutamol, salmeterol en terbutaline (toegestaan via inhalering).
Voor salbutamol is een concentratie van meer dan 1000 nano-
grammen per milliliter verboden.

D. Diuretica
Acetazolamide, bumetanide, chloortalidon, etacrynezuur, furo-
semide, hydrochloorthiazide, mannitol (verboden bij inspuiting
rechtstreeks in de aderen), mersalyl, spironolacton, triamtereen
en verwante substanties.

E. Peptide hormonen
1. Choriongonadotrofine (hoG)
2. Hypothalame en synthetische gonadotrofine (LH)
3. Corticotrofine (ACTH)
4. Groeihormonen (hGH)
5. Insuline Groei Factor (IGF-I)
6. EPO (erytropoiëtine)
7. Insuline (toegestaan bij diabetespatiënten)

II Verboden methoden
1. Bloeddoping
2. Farmacologische, chemische en fysiologische manipulatie

III Verboden producten onder bepaalde omstandigheden
A. Alcohol
B. Cannabinis (marihuana, hasjiesj)
C. Lokale anaesthetica
D. Glucocorticosteroïden
E. Bètablokkers
Acebutorol, alprenolol, atenolol, labetalol, metoprolol, nadolol,
oxprenolol, propranolol, sotalol, en verwante substanties.

Out of competition-testing
Gecontroleerd wordt op anabolen, hormonen, diuretica etc.

14. Top-tien van dopingmiddelen

1. Anabole steroïden
Deze spierversterkende middelen helpen bij de opbouw van de spiermassa en zorgen voor een sneller herstel van het spierweefsel na intensieve trainingen.
  Anabole steroïden worden vooral gebruikt in duursporten en krachtsporten.
  Het gebruik kan leiden tot nieraandoeningen en kanker. Mannen riskeren impotentie, vrouwen een basstem, baardgroei en onregelmatige menstruatie.
  Anabole steroïden kunnen worden opgespoord.

2. Amfetaminen
Centraal stimulerende middelen die sportlieden gebruiken om het vermoeidheidsgevoel terug te dringen en aan zelfvertrouwen te winnen.
  Amfetaminen werken verslavend en het verleggen van de vermoeiheidsgrens kan aanleiding geven tot hartklachten.
  Amfetaminen zijn opspoorbaar.

3. Bètablokkers
Middelen die de hartslag vertragen. Bètablokkers worden gebruikt in sporten waar concentratie een belangrijke rol speelt, zoals bij biljarten, boogschieten en in de moderne vijfkamp.
  Bètablokkers kunnen aanleiding geven tot lage bloeddruk en hartklachten.
  Bètablokkers zijn opspoorbaar.

4. Bloeddoping

Bij bloeddoping wordt de sportman of -vrouw kort voor de inspanning een liter bloed extra toegediend. Meestal gaat het om eigen bloed dat eerder werd afgenomen. Door het extra bloed neemt het aantal rode bloedlichaampjes toe en hierdoor wordt de prestatie opgekrikt.

Bloeddoping kan leiden tot nierbeschadiging, allergische reacties en trombose.

Bloeddoping is niet opspoorbaar.

5. Cortisonen

Stimulerende middelen die het uithoudingsvermogen doen toenemen, ontstekingsremmers. Vooral gebruikt in duursporten.

Door cortisonen kunnen hoge bloeddruk en diabetes ontstaan.

Er is ook gevaar voor verlaging van de immuniteit.

Cortisonen zijn opspoorbaar.

6. Diuretica

Waterafdrijvende middelen die gebruikt worden om snel gewicht te verliezen (boksers, zwemmers, vechtsporten). Diuretica kunnen ook als maskerend middel voor andere dopingmiddelen gebruikt worden.

Diuretica kunnen hoofdpijn en misselijkheid veroorzaken.

Ze zijn opspoorbaar.

7. EPO (erythropoïetine)

Een kunstmatige vorm van bloeddoping. Het hormoon bevordert de aanmaak van rode bloedlichaampjes. Vooral gebruikt in duursporten zoals wielrennen en lange afstandlopen.

Het gevaar van EPO kan zijn: bloedverdikking, hartritmestoornissen en hartstilstand.

EPO is volgens de nieuwste methoden (de Franse methode van het laboratorium in Chatenay-Malebry via urine en de Australische methode via bloed) opspoorbaar. Maar de juridische commissie van het IOC doet er heel lang over eer ze accepteert dat EPO-gebruik onomstotelijk wetenschappelijk bewezen kan worden. Het gebruik van EPO kan tot verklontering van het bloed leiden, en zeker tien plotselinge sterfgevallen in de sport worden met EPO in verband gebracht, hoewel het bewijs van de samenhang ontbreekt.

8. Groeihormonen (hGH)

Groeihormonen hebben een anabole werking, ze verhogen het transport van aminozuren en doen de spiermassa toenemen. Ze zijn lichaamseigen. Groeihormonen worden in alle sporten gebruikt waarbij kracht nodig is.

Ze hebben gevaarlijke bij-effecten, de schedel kan groeien, handen en voeten worden groter. Groeihormonen kunnen leiden tot hartziekten, artrose, diabetes en kanker.

Ze zijn niet opspoorbaar.

9. Narcotica

Deze verdovende middelen werken op het zenuwstelsel. Ze veroorzaken een gevoel van welbehagen en worden door sporters ook gebruikt als een soort pijnstillers. Er bestaat gevaar voor verslaving en ademhalingsstoornissen.

10. Probenecide

Dit geneesmiddel is bedoeld voor behandeling van bloedverdikking. Probenecide wordt ook gebruikt om sporen van anabole steroïden te maskeren, zoals gebeurde in de Tour de France van 1988 door de Spanjaard Pedro Delgado. Tour-winnaar Delgado hoefde onder zware politieke druk vanuit Madrid zijn gele trui niet in te leveren omdat probenecide wel op de verboden lijst van het IOC stond, maar nog niet op de lijst van de UCI.

15. Tijdbom

Niet voor niets heeft Italië, een der bronnen van heel veel doping-kwaad, al was het alleen al door zijn compagnie gespecialiseerde sportartsen met een twijfelachtig geweten, in de loop van 2000 zijn wetgeving drastisch aangepast. Een nieuwe wet die eind december 2000 nog door de senaat wordt geloodst en die in 2001 in praktijk wordt gebracht, bezorgt het land de strengste dopingwet-geving van de wereld. Dat is ook wel nodig, want in Italië werd de afgelopen jaren meer EPO verkocht dan penicilline. Terwijl statis-tisch nergens wordt aangegeven dat Italië zoveel meer nierpatiën-ten (voor wie het middel oorspronkelijk bedoeld is) telt dan andere landen.

In de nieuwe wet worden gedrogeerde atleten niet langer als slachtoffers bestempeld, maar ook als dáders. De nieuwe wetten maken geldboetes tot f 120.000,- en gevangenisstraffen van drie maanden tot drie jaar mogelijk.

De begeleiders van sportzondaars worden nog strenger aange-pakt. Trainers, sportartsen en handelaren die de sporters aan do-ping helpen, hangen celstraffen van twee tot zes jaar boven het hoofd en een boete die kan oplopen tot f 170.000,-. Vooral als de atleten die doping hebben gebruikt minderjarig zijn, is de straf niet mild.

Professor Francesco Conconi uit Ferrara, voormalig hoofd van de medische commissie van de UCI en lid van de medische com-missie van het IOC, is in opspraak gekomen. Hij wordt ervan ver-dacht een groot aantal atleten van internationale allure doping-middelen te hebben verstrekt, zoals de wielrenner Francesco Mo-ser en de skiër Alberto Tomba.

Francesco Conconi is volgens de Italiaanse justitie hoofdver-dachte in een groot dopingschandaal en heeft zelf geëxperimenteerd met EPO. Daarbij steeg zijn hematocrietgehalte tot niveaus die als zeer gevaarlijk worden beschouwd. Dit blijkt uit documenten en computerbestanden die de Italiaanse justitie in het door Conconi geleide medisch centrum in Ferrara in beslag heeft genomen. Volgens justitie heeft Conconi, onder het mom van onderzoek naar manieren om topsporters te testen op EPO-gebruik, een aantal wielrenners, skiërs, langlaufers en andere duursporters jarenlang EPO toegediend. De sportarts, die wereldwijde faam genoot, wordt beschuldigd van misdadige samenzwering. Hij werd voor zijn antidopingonderzoek betaald door het Italiaanse Olympische Comité (CONI).

Justitie vond bij Francesco Conconi een gedetailleerd overzicht van zijn eigen hematocrietwaarden. In mei 1992 had Conconi 38,8 procent, op 24 juli 50,7 procent, op 8 september 55,5 procent, in december 40,8. In september 1993 registreerde Conconi bij zichzelf 59,5 procent en in juni 1994 58,4 procent.

Conconi presteerde als amateurwielrenner ongelooflijk. Hij nam in de zomer van 1992 deel aan de beklimming van de 27 kilometer lange, en met een gemiddeld stijgingspercentage van 7 procent zeer zware Stelvio-pas. Conconi was toen al zevenenvijftig jaar, maar hij finishte tussen topsporters als vijfde en hij liet een twintig jaar jongere voormalig wielerkampioen zestien minuten achter zich. Als eerste bereikte die dag de langlaufer De Zolt de top van de Stelvio. Ook De Zolt wordt verdacht van EPO-gebruik. In het computerbestand van professor Francesco Conconi komen volgens de Italiaanse justitie liefst 407 gecodeerde namen van sporters voor aan wie hij verboden producten zou hebben verstrekt.

De Italiaanse politiek volgt met de nieuwe wetten de harde lijn van de Italiaanse justitie, die onder anderen Marco Pantani voor het gerecht in Forli sleepte. De procureurs in Italië zijn zeer actief geworden in hun beleid om doping in de sport op te sporen.

Om het gevaar van verdoezeling van de feiten tegen te gaan zal de dopingbestrijding uit handen van de sportbonden in die van de staat overgaan. De Italiaanse overheid tast daarmee de autonomie van het Italiaanse nationale Olympische Comité in Rome aan; daar heersten diverse misstanden, waarbij – volgens de Italiaanse pers – ook professor Conconi betrokken was.

Steeds meer sporters worden verdacht van dopinggebruik, hoewel in een aantal gevallen concrete bewijzen ontbreken.

Naar aanleiding van de onthullingen van Jim Stray-Gundersen in november 2000 op het Noorse televisiestation TV2 over de bloedtests bij schaatsers, verklaart de Nederlandse arts van de SpaarSelect-ploeg, Berend Nikkels: 'Dit apparaat [de Bayer Advia 120] kan hooguit een aanwijziging geven dat iets niet helemaal in orde is, een sluitend bewijs kan niet geleverd worden.'

Door het publiek wordt nog altijd verdeeld gereageerd op al het dopingnieuws. Nadat Marco Pantani op de voorlaatste dag van de Ronde van Italië van 1999 in zijn roze trui wegens een te hoog hematocrietgehalte uit de ronde werd gezet, hield *La Gazetta dello Sport* in Milaan een enquête onder zijn lezers: 35 procent vond dat Pantani terecht werd gestraft omdat het reglement voor iedereen geldt, maar 60 procent was van mening dat Pantani veel te zwaar gestraft werd. Om zo'n luttele 2 procent bloeddikte, wat maakt dat nou uit?

Een volwassen man heeft gewoonlijk tussen vijf en zes liter bloed. In dat bloed bevinden zich miljarden rode bloedcellen. Die cellen transporteren onder andere zuurstof. Een afwijking van 2 procent betekent ruwweg dat de atleet over miljoenen rode bloedlichaampjes méér beschikt om zijn zuurstof te transporteren. Het is dus allerminst een bagatel.

Foto: Cor Vos

Marco Pantani wordt al anderhalf jaar achtervolgd door de Italiaanse justitie. Hij is daardoor kennelijk zo van slag geraakt dat hij in korte tijd zes auto's in puin heeft gereden.

De afgelopen tientallen jaren voerden het IOC en vooral de UCI een verloren strijd tegen wekaminen, anabolen, EPO en groeihormonen. Het enige dat bereikt werd is dat door de intensievere en meer verfijnde controles de ergste excessen werden ingedamd. Maar duizenden sporters in vrijwel alle disciplines bleven dopingmiddelen in grote variëteit pakken.

Niet voor niets werd het WADA opgericht, waarvoor nu negenentwintig landen hun financiële steun hebben toegezegd. Tijdens een congres van het WADA in Kopenhagen in november 2000 verklaarde de voorzitter Dick Pound uit Canada dat de strijd tegen doping hoe dan ook gewonnen moet worden.

Maar dat wordt al vijfendertig jaar geroepen.

Na EPO en groeihormonen zal de gen-doping in de sport komen, zo wordt verwacht. Die kan hoe dan ook niet door controles worden aangetoond.

En intussen tikt de tijdbom in de lichamen van veel atleten door. Niemand weet welke schade op termijn wordt aangericht door het gebruiken van de gevaarlijke producten. Levens worden verkort voor roem en geld. Niemand weet nog hoeveel jaren van hun leven atleten zullen inleveren die de schadelijke anabole steroïden, EPO en groeihormonen hebben genomen. Daar bestaat geen empirische wetenschap over. Maar het is wel een gruwelijke gedachte dat de tijdbom doortikt.

16. Ten slotte

De voormalige DDR telde aan de oostelijke kant van de Berlijnse Muur zeventien miljoen inwoners die op een oppervlakte van ongeveer tweeënhalf keer Nederland leefden. Dit betrekkelijk kleine land slaagde er, tot meerdere eer van het politieke systeem, in een grootmacht in de sport te worden.

Het succes van de DDR kreeg tijdens de Olympische Spelen van Montreal in 1976 een explosief karakter: liefst negentig medailles, waaronder veertig gouden, werden gewonnen. Het gevolg van staatsdoping, zo weten we nu na alle gevoerde processen.

De wonderloopster Marita Koch, de wonderzwemster Kristin Otto en de wonderschaatsster Katarina Witt uit de DDR waren de kampioenen van de manipulatie.

De staatsdoping leidde tot doden en verminkten. De Duitse wetenschapper Werner Franke, medewerker aan een kankerkliniek in Heidelberg, vertelde voor de Duitse radio dat atleten in de DDR vooral zijn overleden aan zogenoemde 'levercoma'. Veroorzaakt door het veelvuldig toedienen van hormonen aan sporters.

Toen in 1989 de Muur in Berlijn viel en het immens grote rijk van de Sovjet-Unie afbrokkelde, was ook de grote tijd van de staatsdoping voorbij.

Maar in het 'vrije westen' werd dopinggebruik royaal voortgezet. Veelal met de hulp van gespecialiseerde artsen met een bedenkelijke morele kwaliteit. Vroeger kregen altijd de louche soigneurs, die om de sportlieden zwierven, de schuld van het dopingonheil. Zij lieten hun sporters – vaak onoordeelkundig – middelen gebruiken waarvan ze de kwalijke gevolgen op termijn niet konden inschatten.

Maar de situatie is geenszins verbeterd nu wetenschappelijk geschoolde artsen de rol van de soigneurs hebben overgenomen.

En altijd maar weer duiken er stemmen op om de dopinggrenzen te verruimen zodat de manipulatie meer bovengronds zal geschieden of zelfs dopingcontroles af te schaffen. Het verweer van de verdachte medici als François Bellocq uit Talence en Eric Rijckaert uit Zomergem dat zij atleten dopingmiddelen gaven om erger en verdere wildgroei te voorkomen, raakt kant noch wal. Daargelaten de schuld die Italiaanse medici als Conconi, Ferrari, Tarsi en Rempi op zich hebben geladen door aan hun toevertrouwde sportlieden verboden middelen te verstrekken.

Doping, in welke vorm ook, is uit het oogpunt van volksgezondheid en sportiviteit nimmer te tolereren.

Het kan niet dat in enige vorm verantwoordelijke sportorganisaties en overheden mensen toestaan hun leven vrijwillig te verkorten.

Wat hooguit zou moeten gebeuren is dat de lijst van de verboden middelen van het IOC wordt opgeschoond in die zin dat in geval van werkelijke ziekte van een sporter een onafhankelijke arts (en niet de club-, bonds- of ploegarts) bepaalde medicamenten aan de zieke sporter zou mogen toedienen, ook al staan die op de verboden lijst.

Doping heeft in de loop der tijden voor veel ellende gezorgd. Veel te lang hebben overheden de problematiek aan de sportbonden overgelaten. Er zou, naar analogie van de grote politieke conferenties, met spoed een wereldconferentie over doping gehouden moeten worden. Harmonisatie van wetgeving, controles, lijsten van verboden middelen, research en verfijning van de opsporingsmethoden en een krachtige financiële injectie van het internationale dopingbureau WADA zouden dopinggebruik kunnen terugdringen.

Al was het alleen maar om in de komende jaren onafzienbaar menselijk leed in te perken.

Jean Nelissen

Register

Abdoujaparov, Djamolidine 65
Alberati, Paolo 25
Alliot-Marie, Michelle 63
Ampler, Uwe 63
Angerer, Peter 59
Anquetil, Jacques 8, 57
Apollonio, Massimo 25
Argentin, Moreno 12
Armstrong, Lance 15, 16, 41, 76, 77, 85
Arribagé, Dominique 66
Arroyo, Angel 59
Audran, Michel 88

Baal, Daniel 65
Baars, Henk 63
Bailey, Angela 45
Bakel, Frank van 39
Bambuck, Roger 60
Bartali, Gino 27
Baskin, Gordon 47
Baumann, Dieter 7, 40
Becu, Pierre 44
Bellemans, Pierre 18
Bellocq, François 100
Belluti, Antonella 85
Bertolini, Alessandro 37, 80
Berzin, Evgueni 12, 26
Besmati, Massimo 80

Bie, Danny de   62
Blijlevens, Jeroen   34-36
Bombini, Emmanuele   80
Bonciucov, Igor   26
Bonnand, Cyrill   25
Bortolami, Gianluca   37, 80
Boussier, Ralph   89
Bouwens, Henri   19, 20
Boyer, Philippe   61
Brasi, Rossano   26
Breuer, Grit   62, 63
Breukink, Erik   71
Brochard, Laurent   8, 31, 32, 37, 80, 88
Bruylandts, Dave   26
Buckley, W.E.   72
Buffet, Marie-George   73, 89
Bugno, Gianni   23, 41, 64, 80
Burton, Beryl   49
Busby, Matt   56

Camps, Hugo   67
Cariulo, Giacomo   26
Casa, Enrico de la   29
Casagrande, Francesco   14, 83
Casero, Angel   39, 65
Cauter, Staf van   18, 19, 21
Chiappucci, Claudio   25, 26, 80
Chiotti, Jerôme   82
Christie, Linford   5, 39, 40
Cipollini, Mario   63, 80
Clavero, Daniel   25
Clay, Cassius (Mohammad Ali)   48
Colinelli, Andrea   26
Collard   79
Colombo, Luca   24, 25
Conconi, Francesco   8, 9, 12, 30, 95, 100
Coppi, Fausto   27
Cornelisse, Michel   65
Crawford, Darren   59
Cuevas, Armand de las   80

D'Alema, Massimo   28
Dalibot, Jean   89
Daniels, Gerard   20
Daum, Christoph   67, 68
Davy, Thomas   41, 64, 88
Dekker, Erik   26
Delegove, Daniel   16, 41, 87, 89
Delgado, Pedro   94
Delion, Gilles   65, 80
Demeyer, Marc   18, 19
Derique, David   40
Derique, Patrick   64
Desbiens, Laurent   40, 64
Desgrange, Henri   55
Desruelles, Ronald   59
Devasux, Marc   88
D'Hont, Jef   88, 89
Diamant, Bobby   56
Dijck, Hendrick van   36
Dojwa, Jean Philippe   64
'Dokter Mabuse'   78
Dolci, Andrea   25
Dominguez, Juan Carlos   25
Donati, Sandro   13, 15
Donike, Manfred   62
Douglas, Troy   40, 85, 86
Draaijer, Johannes   8
Dressel, Birgit   49, 50
Drost, Epi   8
Drut, Guy   65
Ducrot, Maarten   80
Dufaux, Laurent   8, 31, 32, 35, 80
Dugarry, Christophe   7, 73, 74
Durand, Jacky   13, 40, 64
Duyker, Adrie   17
Duyndam, Leo   8

Edo, Angel   25
Edwards, Duncan   56
Eijden, Jan van   26

Escartin, Fernando	80
Est, Wim van	54
Faresin, Gianni	80
Ferrara, Davide	30, 81
Ferrari, Sylvie	88
Ferrari, Michele	9, 12, 13, 37, 42, 80, 100
Ferretti, Giancarlo	24, 80
Ferrigato, Andrea	64
Fignon, Laurent	14, 42, 60
Flothuis, Trino	11
Fondriest, Maurizio	14
Fontanelli, Fabio	64
Forconi, Riccardo	25, 29
Foster, Greg	46
Franchini, Primo	80
Franke, Werner	99
Freuler, Urs	61
Frey, Walter	77
Frigo, Fulvio	26
Furlan, Giorgio	12, 80
Gardella, Ermano	67
Garmendia, Aitor	25
Gastaldi, Luigi	13
Gaul, Charly	56
Gaumont, Philippe	39, 64, 77
Geminiani, Raphael	58
Ghiotto, Federico	39, 63
Giardina, Bruno	28
Gili, Marco	25
Gimeno, Andres	56
Gimondi, Massimo	26
Gontchar, Sergei	26
Gonzalez de Galdeano, Alvaro	84
Gotti, Ivan	37
Greep, Co	58
Griffith, Florence	8, 45-48
Gros, Michel	33
Guariniello, Raffaele	29

Guérin, Vincent   39, 66
Gundersen, Jim Stray-   75, 97

Hauptman, Andrej   26
Hemmerdinger, Eric   87
Hermans, Staf   18, 19, 21
Herrero, Sheila   26
Hertog, Fedor den   17
Hervé, Pascal   33, 37, 80, 87, 88
Hess, Markus   61
Hicks, Thomas   54
Hinault, Bernard   43, 59
Hoek, Aad van den   17
Hoeness, Ueli   67
Hoffman, Tristan   37
Hruska, Jan   84
Hulshoff, Barry   58
Hunter, C.J.   7

Indurain, Miguel   12, 41, 63, 64
Ivanov, Sergei   26, 34

Jacobs, Elsy   49
Jadwin, Tom   59
Jalabert, Laurent   34, 71
Janssens, Marc   25
Jaspers, Walter   21
Jensen, Knud   44, 74
Jeremiasse, Wim   29, 30
Jessen, Thei   9, 11
Johnson, Ben   45, 47, 62, 65, 70, 74
Jones, Timothy   26
Jones, Marion   7
Jongh, Steven de   34
Joyner, Al   46
Joyner-Kersee, Jackie   45
Juanito   60

Kappes, Andreas   64, 65, 80, 84
Karstens, Gerben   58

Keil, Patrick   33, 37
Kelly, Sean   71
Kersee, Bob   45-47
Keulenaer, Ludo de   62
Klümper, Armin   49, 50
Knaven, Servais   34, 37
Koch, Marita   99
Kohlbacher, Thomas   49, 50
Koomen, Theo   44
Korda, Petr   83
Krabbe, Katrin   62, 63, 71
Kubelskiene, Edita   26
Kuiper, Hennie   43
Kulakova, Galina   58
Kuyper, Edward   63

Lachance, Victor   67
Lafis, Michael   37
Larsen, Nicolay Bo   26
Laurent, Thierry   13, 25, 40, 64
Lauritzen, Dag-Otto   80
Leblanc, Jean-Marie   32, 37, 65
Leblanc, Luc   8, 80, 87, 88
Legeay, Roger   65
Leinders, Geert   64
Lewis, Carl   46, 48
Leys, Jan   58
Lino, Pascal   63
Linton, Arthur   54, 55
Linton, Jimmy   54, 55
Linton, Tom   54
Livingstone, Kevin   80
Loda, Nicola   25
Longo, Jeannie   60
Lorz, Fred   53, 54
Luperini, Fabiana   40
Lyons, Robin   67

Madiot, Marc   24
Maertens, Freddy   18-20, 59

Magnani, Marco	25
Maini, Orlando	80
Mallejac, Jean	56
Maradona, Diego	73
Marie, Thierry	64
Martelli, Sandrine	29
Martinez, Manuel	77
Massi, Rodolfo	34, 35, 42
Mauleon, Javier	64
Mazoleni, Eddy	80
Mazzapesa, Enzo	26
McEnroe, John	83
McGrath, Seamus	25
McGwire, Mark	83
Meier, Armin	35
Meirhaeghe, Filip	25
Meloni, Filippo	25
Menthéour, Erwan	24, 25, 80, 88
Merckx, Axel	37, 80
Merckx, Eddy	18, 58
Meyer, Rick	59
Miceli, Nicola	25
Michailov, Andrei	9, 33, 34, 37, 66, 67
Minali, Nicola	64
Miozzo, Flavio	24
Moeller, Silke	62, 63
Mol, Yvan van	64
Moors, Jan	34-37, 66, 67
Moorsel, Leontien van	85
Moreau, Christophe	37, 80
Moreno, Miguel	33
Moretti, Roberto	25
Morscher, Harald	26
Moser, Francesco	8, 19, 95
Mossevelde, Albert van	17, 18, 21
Motta, Gianni	64
Moyson, Maurice	17
Müller, Dirk	84

Nanzoni, Mario   25
Nedelec, Patrick   13, 39, 64
Neeskens, Johan   58
Negura, Iulia   65
Nelissen, Danny   66
Nelissen, Jean   9, 11
Nelissen, Wilfried   63
Niemczak, Antoni   60
Nikkels, Berend   97
Notten, René   8

Ochoa, Javier   25
Olano, Abraham   64, 80
Oosterbosch, Bert   8
Ostergard, Jan   26
Ottey, Merlene   7, 40
Otto, Kristin   99
Outchakov, Sergei   34, 37

Pantani, Marco   12, 15, 26-30, 34, 81, 96, 97
Paranier, Christine   35, 87
Paranier, Eric   35, 87
Park Jong Sei   70
Pedersen, Dag-Erik   80
Pelissier, Francis   55
Pelissier, Henri   55
Pellenaars, Kees   58
Pena, Miguel-Angel   64
Pépin, Albert   88
Pérard, Jean-Marie   23
Petegem, Peter van   36
Pezzo, Paola   39, 67
Planckaert, Eddy   67, 80
Poel, Adrie van der   63
Polikova, Tamara   26
Pollentier, Michel   59
Pontoni, Daniele   67
Posposil, Jiri   59
Pouget, Cyrille   39, 66
Pound, Dick   98

Priem, Cees	33-37, 66
Puccianti, Giacomo	26
Pulnikov, Vladimir	25
Racinella, Graziano	25
Raducan, Andrea	7
Ragnetti, Renzo	25
Rempi, Roberto	81, 100
Rey, Julio	7
Richardson, Mark	40
Rijckaert, Eric	9, 32, 36, 66, 84, 87, 100
Rijvers, Kees	72
Rivière, Gaston	54, 55
Rivière, Roger	58
Robinson, Darrell	46, 47
Roche, Stephen	42
Roelandt, Renno	47
Rolink, John	58
Rominger, Tony	9, 42, 80
Romme, Gianni	75, 76
Rooks, Steven	64, 80
Rossignoli, Luciano	80
Rossum, Jacques van	60, 61, 73
Rous, Didier	37, 80
Roussel, Bruno	32, 34, 37, 87-89
Rudolph, Wilma	8, 48
Sabatier, Cyril	81
Sabiron, Joël	33, 89
Sainz, Bernard	78
Samaranch, Juan Antonio	70
Sanders, Wim	62, 66, 71
Santaromita, Mauro	24, 25
Saucey, dr.	24
Saval, Vidal	56
Savignoni, Jean-Claude	25
Savoldelli, Paolo	37, 80
Schattenberg, Lon	15, 23, 29, 30
Schiavina, Samuele	64
Schnorff, Yvonne	26

Schockemöhle, Paul	60
Schür, Frits	17
Sevenant, Wim van	25
Sevilla, Oscar	84
Sibierski, Antoine	39, 66
Simeoni, Marco	80
Simoni, Gilberto	25
Simpson, Tom	57
Simunek, Radomir	26
Sommers, Willy	19
Sonck, Yvan	64
Soprani, Pierguido	30
Sotomayor, Javier	7
Spinosa, Giovanni	37, 80
Spitzer, Giselher	67
Springstein, Thomas	62
Stephens, Neil	33
Streel, Marc	26
Tagnotti, Renzo	25
Tarsi, Daniele	9, 80, 100
Terrados, Nicolas	9, 37, 88, 89
Theunisse, Gert-Jan	60, 61
Thurau, Didi	59, 60
Timmer, Marianne	75
Tomba, Alberto	28, 95
Tonkov, Pavel	37
Truyol, Ignacio	65
Ullrich, Jan	79
Uronia, Valentin	57
Vaino, Martti	59
Vallanzasca, Renato	28
Vandenbroucke, Frank	39, 77-79
Vanderlinden, Ludo	18, 19
Vanderstichel, Kris	66
Vandewalle, Geert	20
Vayer, Antoine	41
Velde, Johan van der	63

Verachtert, Jos	44
Verbruggen, Hein	80, 88
Verreydt, Louis	18, 19
Vinsonneau, Gérald	42, 89
Virenque, Richard	8, 31, 33, 35-37, 66, 77, 78, 87-89
Vlaeminck, Roger de	19
Voet, Willy	31-33, 35-37, 66, 79, 87-89
Volpi, Alberto	63
Voordouw, Wilko	77, 78
Voskamp, Bart	34, 37
Voy, Robert	70
Vrijman, Emile	86
Walker, Doug	40
Warbuton, Choppy	54, 55
Weckx, Hugo	61
Wellens, Paul	59
Wilde, Etienne de	60
Wilde, Roger de	44
Winnen, Peter	80
Witt, Katarina	99
Yates, Sean	61
Yuan Yuan	66
Zaina, Enrico	80
Zberg, Beat	80
Zoetemelk, Joop	59
Zolt, De	96
Zülle, Alex	7, 32, 33, 35, 80